結局現場でどうする？

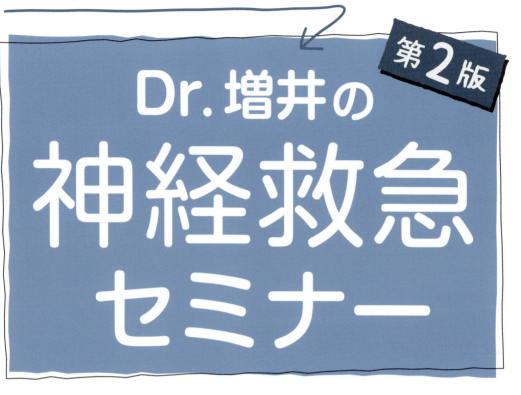

第2版

Dr.増井の
神経救急
セミナー

著 増井伸高 札幌東徳洲会病院救急科

日本医事新報社

謹告

本書に記載されている事項に関しては，発行時点における最新の情報に基づき，正確を期するよう，著者・出版社は最善の努力を払っております．しかし，医学・医療は日進月歩であり，記載された内容が正確かつ完全であると保証するものではありません．したがって，実際，診断・治療等を行うにあたっては，読者ご自身で細心の注意を払われるようお願いいたします．

本書に記載されている事項が，その後の医学・医療の進歩により本書発行後に変更された場合，その診断法・治療法・医薬品・検査法・疾患への適応等による不測の事故に対して，著者ならびに出版社は，その責を負いかねますのでご了承下さい．

第2版に寄せて
―第1版を既に購入し買い替えを考えた読者諸兄へ―

非専門医に必要な神経救急の知識についてアップデート（2018～2019年の間）を行っていれば，第2版の購入の必要はありません．

　冒頭ページで，こうしたネガティブキャンペーンの記載は通常タブーです．序文は書籍の広告塔．「購入の必要はありません」とは言語道断でしょう．しかし，前版と何が変わったのか，これこそ読者が一番知りたいこと．だから，あえて明記しました．ユーザーフレンドリーであることを目指し，正直に吐露致します．

　具体的な変更箇所には，目次に「更新」と記しました．Part 2～5にかけ修正・追記しましたのでご確認下さい．一方で「Part 1 めまい」は変更していません．これは第1版（2018年5月末）～第2版（2020年1月）の期間で改訂が必要な新しい文献はなかったためです．

　既に第1版をお持ちの方は，パラパラと上記の変更点のページをめくり「今回のアップデートは知っている内容だ」と思われれば，買い直す必要はありません．筆者自身も，書籍の改訂版を購入するかどうかは，そのように決定しています．

　一方で，非専門医ゆえに，今回のアップデートが未実施の読者もいるかもしれません．自分で文献やガイドラインを読み解くのは大変です．その労を4,200円（+税）で買うというのは「あり」かもしれません．

　さらに，「読むのも面倒だ！」という方のため，約2年間の変更点を40分弱の動画にまとめました（動画目次参照）．日々の業務に忙殺されている方は，一人ランチョンセミナー形式で昼食休憩中に最低限のアップデートをすることも可能です．

　個人的には第1版の購入者限定で，第2版のアップデートをワンコインで実践する方法を妄想しましたが，それは出版業界の継続のために不可能でした．申し訳ございません．本書に記載された約2年間分のアップデートがコストパフォーマンスとして良いかは読者次第です．この点をチェックして，買う/買わないを決めて頂ければと思います．

　本書を初めて手に取って下さった方へのメッセージは，次ページの「はじめに」で書きました．一方で第2版の買い替えニーズを考慮し，変更箇所を正直に「第2版に寄せて」として記載致します．

2020年1月　著者

はじめに

「めまいの診察方法が理解できない（よって実践もできない）」
「めまいの診察法は知っていても症状が強い時は画像検査に頼るしかない」
「失語や意識障害のNIHSSって，どうやってとったらいいかわからない」
「CTやMRIで白いのに，神経所見と合わないから脳卒中ではないと専門医に言われた」
「PECARNで所見がなくても，1回嘔吐したらやはりCTを撮らないといけないのか？」

巷に研修医や非専門医へ向けた書籍や情報は充実しています．しかしその情報だけでは対応しきれない問題が現場にはあふれています．そのような症例にも対応できるようになりたいという思いが頂点に達した2012年，札幌で神経救急のセミナー「SENCE」が生まれました．

専門医目線で見た，知ってほしい知識・できてほしい技術は，ガイドラインや既存の1dayコースで体験できます．しかし第一線で活躍する医師は，「トップダウンの情報はわかったけれども，結局現場でどうするのさ？」という問題を抱えています．これ対してSENCEはボトムアップで解決する方法を伝授します．

主催者の独りよがりにならないようエビデンスを散りばめながらも，それを超えて現場で実際どうしているかを包み隠さず披露しました．

「めまいの薬は何を処方するのか？」
「高齢者で所見もなく画像正常のめまい患者にどう対応するのか？」
「脳梗塞（出血）で血圧をどれくらい下げるのか？」
「非専門医で脳卒中の血液サラサラの薬についてどこまで知らないといけないのか？」
「欧米の外傷CTルールを日本でどのように使うべきか？」

そんな疑問を持たれて診療している先生方に，本書を通読後に自信をもって診療できることをお約束します．セミナーでしか伝えられなかった"ここだけ"の話を，すべてご披露します．

それでは，活字版神経救急セミナー：SENCEを開催します．

2018年5月　著者

目 次

Part 1　画像に頼らない，明日から使えるめまい診察伝授

1 めまい診療が難しい理由は？
　—MRI感度は50％未満，さらには診断学が使えないから …………… 2

2 身体所見"だけ"で診断できるBPPVとクプラ結石
　—動画を使い，独特の診察法を完全マスター ……………………… 9

3 前庭神経炎vs中枢性めまい：1
　—強いめまいは眼振だけでマネジメントする ……………………… 18

4 前庭神経炎vs中枢性めまい：2
　—HINTSは3つあるため，実はけっこう使えない ………………… 26

5 中枢性めまいを見つけるための神経所見
　—四肢の運動失調・構音障害・歩行障害の評価にはコツがある …… 30

更新 ▶ Part 2　軽症頭部・頸部外傷CT　いつ撮るの？ 撮らないの？

1 成人頭部外傷のCT適応
　—世界のCTルールと日本のCT台数・保険診療の合わせ技で判断する ……… 40

2 小児頭部外傷のCT適応
　—米国発のPECARNを，さらに日本版診療に落とし込む方法 ………… 50

3 誰も教えてくれなかった脳震盪診療
　—集まりつつあるエビデンスをもとに具体的なアドバイスを提示 …… 56

4 成人・小児頸椎外傷のCT適応
　—国外のデータと国内の事情から頸椎CTの適応を検討する …………… 66

更新 ▶ Part 3　こんなときは何点？—NIHSSのトラブルシューター

1 非専門医がNIHSSをスマートにとるコツ
—オペラ式で3ブロックにわければストレス半減 …………………………… 74

2 失語患者のNIHSS
—50％はパントマイムで乗り切る …………………………………………… 87

3 意識障害患者のNIHSS
—昏睡であれば約半分の項目が2点 ………………………………………… 92

更新 ▶ Part 4　脳卒中の画像診断　その身体所見と画像所見シンクロしていますか？

1 症状からみる脳卒中画像診断：1
—ピンポイントで画像予測：塗り絵式勉強法＜麻痺編＞ …………………… 98

2 症状からみる脳卒中画像診断：2
—ピンポイントで画像予測：塗り絵式勉強法＜しびれ・失語編＞ ………… 116

3 時間からみる脳卒中画像診断
—CT・MRIから脳卒中の発症時間を予測する ……………………………… 128

更新 ▶ Part 5　ERから専門医へつなぐ脳卒中の治療　ここまでできれば免許皆伝

1 神経救急の血圧コントロール
—各病態で違う専門医到着前の血圧目標値 ………………………………… 134

2 非脳外科医が知るべき手術適応
—開頭術の絶対適応と話題の血管内治療 …………………………………… 140

3 脳梗塞コンサルト前の患者評価
—脳卒中医と対等に話すためのスコアリング方法 ………………………… 150

4 脳梗塞の抗凝固・抗血小板薬治療
—これで非専門医でも脳梗塞処方ができる ………………………………… 158

コラム

- 末梢性めまいが3疾患でOKな理由 ……………………………… 8
- フレンツェル眼鏡を病院で新規購入する方法 …………………… 18
- EBMの時代からYBMの時代へ …………………………………… 23
- めまいの処方薬は"グリーンピース" ……………………………… 37
- スコアリングを堂々とカンニングする方法 ……………………… 49
- 競技場(フィールド)での脳震盪診断 ……………………………… 59
- NIHSSの"セブンイレブンルール" ………………………………… 82
- ラクナ梗塞より悪いBAD ………………………………………… 101
- 秘技伝授!! 脳卒中の電話コンサルト方法 ……………………… 111
- ニカルジピン降圧に背徳感を感じるか? ………………………… 135
- 脳外科医にフォローアップCTを指示されたら ………………… 143
- 脳梗塞アウトカムは生存率だけでなく神経予後を見よう ……… 146
- どうやって発作性心房細動がないと判断するか? ……………… 170

索 引 ………………………………………………………………… 172

動画目次

- 動画のご利用方法はviii頁をご参照下さい。
- 動画のPartと本文の順番は一致していません。

神経救急セミナー Update

Part 1 wake up stroke

Part 2 抗凝固薬の拮抗

Part 3 血管内治療の適応

Part 4 Q&A いつ脳卒中チームを呼ぶ？
CT／MRIどちらが先？

読影

Part 1 麻痺画像でまずチェックすべき2カ所

Part 2 中心溝を同定し，運動野を推測する方法

Part 3 MCAと運動野の位置関係

Part 4 麻痺画像で追加確認する2カ所

Part 5 画像から発症時間を推測する

Part 6 失語と分水嶺梗塞の判断法

| Part 7 | 感覚障害の画像診断 |

クイズ

第1版出版後の変更点

Part 1	脳卒中の血圧管理
Part 2	神経救急のスコアリング
Part 3	侵襲的治療1　開頭術適応
Part 4	侵襲的治療2　血管内治療
Part 5	脳梗塞の内服予防治療（非心原性）
Part 6	脳梗塞の内服予防治療（心原性）
Part 7	入院時の急性期点滴治療
Part 8	片頭痛の診断と治療

めまい

Part 1	めまい診療に画像診断はどこまで使える？
Part 2	めまいの診断がなぜ難しいか
Part 3	水平半規管のBPPVとクプラ結石

Part 3 Q&A	めまいの帰宅時に何を処方するか？
Part 4	後半器官のBPPV
Part 4 Q&A	Dix-Hallpike testが陰性のときどうするか？
Part 5	めまい症状が強く，問診と身体所見が取れない症例への対応
Part 6&7	中枢性めまいの診断に必要な神経診察
Part 6&7 Q&A	誰もめまい患者の主治医になってくれないときの対応
Part 8	HINTSはホントに役立つのか，本音で語ります

NIHSS

Part 1	NIHSS（その1）意識・眼
Part 2	NIHSS（その2）運動
Part 3	NIHSS（その3）感覚・言語
Part 4	NIHSS 失語
Part 5	NIHSS 意識障害

手技編

#1 Dix-Hallpike test ➡ Epley法

#2 Dix-Hallpike testが陽性のとき

#3 前庭神経炎の眼振（含むアレキサンダーの法則）

#4 中枢性めまいの眼振

#5 異常所見なしのNIHSSの実演

#6 失語のNIHSSの実演

#7 意識障害のNIHSSの実演

電子版・動画のご利用方法

巻末の袋とじに記載されたシリアルナンバーで，本書の電子版・動画を利用することができます。

手順①：日本医事新報社Webサイトにて会員登録（無料）をお願い致します。
　　　　（既に会員登録をしている方は手順②へ）

日本医事新報社Webサイトの「Web医事新報かんたん登録ガイド」でより詳細な手順をご覧頂けます。
www.jmedj.co.jp/files/news/20170221%20guide.

手順②：登録後「マイページ」に移動してください。
www.jmedj.co.jp/mypage/

「マイページ」

マイページ下部の「会員情報」をクリック

「会員情報」ページ上部の「変更する」ボタンをクリック

「会員情報変更」ページ下部の「会員限定コンテンツ」欄にシリアルナンバーを入力

「確認画面へ」をクリック

「変更する」をクリック

会員登録（無料）の手順

1 日本医事新報社Webサイト（www.jmedj.co.jp）右上の「会員登録」をクリックしてください。

2 サイト利用規約をご確認の上（1）「同意する」にチェックを入れ，（2）「会員登録する」をクリックしてください。

3 （1）ご登録用のメールアドレスを入力し，（2）「送信」をクリックしてください。登録したメールアドレスに確認メールが届きます。

4 確認メールに示されたURL（Webサイトのアドレス）をクリックしてください。

5 会員本登録の画面が開きますので，新規の方は一番下の「会員登録」をクリックしてください。

6 会員情報入力の画面が開きますので，（1）必要事項を入力し（2）「（サイト利用規約に）同意する」にチェックを入れ，（3）「確認画面へ」をクリックしてください。

7 会員情報確認の画面で入力した情報に誤りがないかご確認の上，「登録する」をクリックしてください。

Part 1　画像に頼らない，明日から使えるめまい診察伝授

Part 1　画像に頼らない，明日から使えるめまい診察伝授

1 めまい診療が難しい理由は？
―MRI感度は50％未満，さらには診断学が使えないから

"めまい"が苦手という医師は多いです。その理由を次の症例1を通じて考えてみましょう。

症例1	めまい
	50歳女性。起床時からめまいがあり，改善しないため救急要請。搬送後にストレッチャーへ移動したとたん嘔吐。症状が続き非常に辛そうで，問診はほとんどできない。身体所見を取ることも難しい。バイタルサインは安定している。

このような患者さんに，皆さんは普段どのように対応していますか？ "診断の王道"は病歴・身体所見から鑑別を挙げ，必要十分な検査を行い，診断の確定・除外をすることです。本例でもこの"診断の王道"で診ていきましょう。

病歴と身体所見でめまいの鑑別を試みる

まず患者さんの訴える"めまい"は漠然とした表現のため，医学用語に置き換えます。つまり，①回転性の"めまい"なのか，②気が遠くなりそうな失神前症状の"めまい"なのか，③ふらつきのような浮動性"めまい"なのかです（図1）。

この3つにわけるのは，それぞれで考える鑑別疾患がまったく異なるからです。たとえば今回のように，移動しただけでも嘔吐を伴う強いめまいの場合は回転性を疑い，末梢性めまい（内耳性疾患），あるいは中枢性めまい（脳卒中）が鑑別疾患に挙がります。一方で失神前症状が疑わしければ，貧血や心疾患が鑑別に挙がります。似たような主訴でも調べる臓器がまったく異なるのです。

医学的にどのような主訴で，どういった鑑別かを考えるため，病歴聴取と身体所見が必要になってきます。

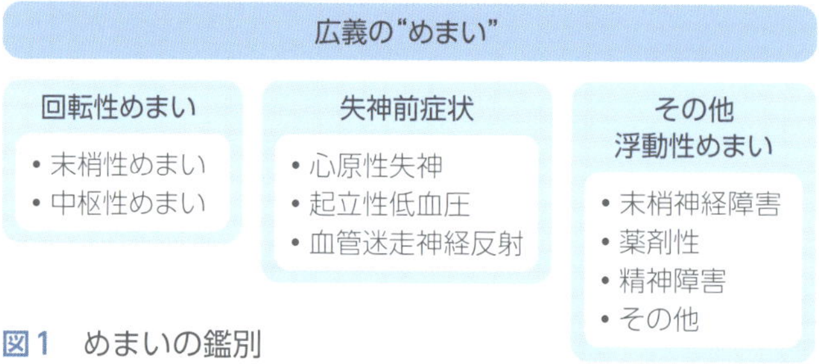

上記のような研修医マニュアルなどにある，めまい症診断のチャートやアルゴリズムを進めるためには病歴と身体所見が必要ですが，

```
                広義の"めまい"

回転性めまい        失神前症状          その他
                                       浮動めまい
・末梢性めまい      ・心原性失神
・中枢性めまい      ・起立性低血圧      ・末梢神経障害
                    ・血管迷走神経反射  ・薬剤性
                                       ・精神障害
                                       ・その他
```

図1　めまいの鑑別

今回の症例の場合，
　　"めまいが強すぎて病歴も身体所見もほとんどまともに取れない！"
という壁に突如ぶつかります。それでも果敢に制吐薬を静注して，なんとか情報を引き出そうとする研修医（挑戦者）もいますが，やっぱり評価できないものはできない。医師も患者さんもお互い辛くなってきます。さぁ，このような場合，次の手はないのでしょうか？

症状が強すぎて所見が取れないめまいをどうするか？

　診断の王道である，「病歴・身体所見→鑑別診断→検査」という流れが絶たれてしまうことにめまい診療の難しさがあります。そこで，「取れない病歴や身体所見は取れない！ならば検査をしてしまえ！」と，不十分な病歴・身体所見のまま実施する頭部CTはどこまで有用なのでしょうか？　そのように検査をオーダーしようとする研修医に，めまいにおける頭部CT検査の位置づけを聞いてみると…

　研修医A「小脳出血はけっこういるから，頭部CTは必要」
　研修医B「脳梗塞も時間が経てば頭部CTでわかるかも」
　研修医C「頭部CTが正常でも，ある程度は中枢性めまいが除外できる」

　はたして，このコメントの妥当性はどうなのでしょうか？

頭部CTは中枢性めまいの検査に役立つか？

　Wasayらは，"めまい"を主訴にERにきた患者さん144人に頭部CTを実施，そのうち中枢性を指摘できる異常は1人もいなかったと報告し，その利用に疑問を投げかけています[1]。Tarnutzerらは，救急搬送のめまいのうち中枢性めまいは多く見積もっても5％，そのうち脳出血は4％未満としており，500人に頭部CTを撮ってようやく1人の異常が見つかると計算しています[2]。Chalelaらは脳梗塞全般における頭部CTの感度は16％としており[3]，頭部CT所見が出にくい小脳梗塞の感度は数％以下でしょう。これらのエビデンスから，上記の研修医らのコメントの真相は以下のように答えられます。

　研修医A「小脳出血はけっこういるから，頭部CTは必要」
　　→小脳出血は稀。めまい主訴の頭部CTで約500例に1例見つかる程度。
　研修医B「脳梗塞も時間が経てば頭部CTでわかるかも」
　　→小脳梗塞は頭部CTではまず見つけられない。
　研修医C「頭部CTが正常でも，ある程度は中枢性めまいが除外できる」
　　→頭部CTで中枢性めまいの除外はまったくできない。

めまい診療で頭部CTは，ほぼ役に立たないという事実。実は頭部CTをオーダーしている医師も頭ではわかっています。わかっているのに，所見が取れないため苦肉の策で頭部CTを撮ってしまうのです。そして，検査を実施してしまったため，"頭部CT陰性＝脳卒中なしであってほしい"という感情バイアスがいつの間にか，"頭部CT陰性＝脳卒中なし"に置き換わってしまうと，見逃しが起きてしまいます。

頭部MRI正常なら大丈夫？

　頭部CTでは力不足であれば，頭部MRIの有用性はどうでしょう？
　MRIでの脳梗塞の見逃しについてOppenheimらは，脳梗塞は前方循環（2％）より後方循環（19％）で多いと報告しています[4]。前方循環というのは内頸動脈から分岐する中大脳動脈領域に代表される脳循環です。前方循環の脳梗塞は大脳皮質や内包後脚の虚血から四肢麻痺をきたします（図2）。一方，後方循環は中枢性めまいをきたす椎骨脳底動脈領域の小脳梗塞や脳幹部梗塞です（図2）。見逃しが前方循環（2％）より後方循環（19％）で多いのは，後方循環では梗塞から画像所見出現まで大幅なタイムラグがあり，急性期では軽微か偽陰性となるためです。
　このタイムラグは前方循環ではDWIで12時間もすれば感度90％以上ですが，後方循環では48時間以上経過しても90％には届きません。前方・後方循環を合わせた脳梗塞における頭部MRIの感度は3時間未満で73％，3〜12時間未満で81％，12時間以上で92％とされていますが[3]，中枢性めまい（後方循環では）発症6〜48時間以内の頭部MRIの検出感度は10mm以上の比較的大きい梗塞でも92％，10mm未満の小梗塞なら47％とされます（表1）[5]。初回受診時に頭部MRIを実施してDWIで白く光れば小脳梗塞と診断できますが，小さい小脳梗塞なら2日経っても半分は所見が出ないため，DWIで異常所見がなくても，絶対に中枢性の除外ができるわけではないことを再認識して下さい。

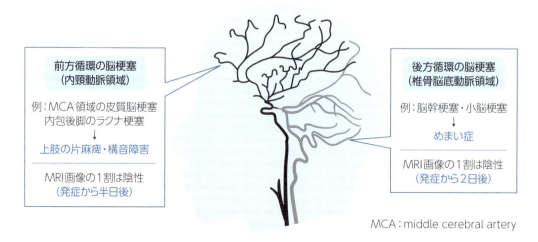

図2　前方循環の脳梗塞と後方循環の脳梗塞

表1　急性期脳梗塞画像の感度

	発症から撮影までの時間	CTの感度	MRIの感度
脳梗塞全体[3]	＜3時間	12％（5〜24）	73％（59〜84）
	3〜12時間	20％（12〜33）	81％（69〜90）
	＞12時間	16％（9〜27）	92％（83〜97）
小脳梗塞[5] ＜10mm	6〜48時間	―	47％
小脳梗塞[5] ≧10mm	6〜48時間	―	92％

（文献3, 5をもとに作成）

　このようにめまいでは，CTだけでなくMRI検査をしても脳卒中の除外ができないことが診療を難しくしているのです。

病歴と身体所見が取れるときのマネジメントは？

　症例1は所見がまったく取れず，意地悪な出題だったかもしれません。それでは，病歴と身体所見が取れるようになった次の症例では，どのように対応しますか？

> **症例2　めまい**
> 50歳女性。起床時からめまいがあり，改善しないため受診。体動時は辛そうだが，問診と身体所見はかろうじて取ることができる。バイタルサインは安定している。

　研修医が初期対応を始めたとします。病歴を確認すると，めまいの鑑別としては失神前症状や浮動性めまいではなく，回転性めまいと判断できました。初発の症状で既往も特になく，聴覚異常はありませんでした。身体診察は可能なため脳神経診察を行いましたが，異常は見つけられませんでした。結局，中枢性めまいと末梢性めまいの鑑別が必要で，頭部CT，頭部MRIを実施しましたが異常なしでした。
　ここで，マネジメントに困った研修医が読者の皆さんに相談に来たとしたらどのように対応しますか？　もし症例2もマネジメントに困るのであれば，症例1と同じ轍を踏んでしまっていることになります。

なぜ，めまいは難しく感じるのか？

めまい患者さんの神経所見や画像所見で異常が見つかれば対応は難しくありません。一方で，神経所見や画像所見が正常でも偽陰性の可能性があります。中枢性めまいの17％はめまいのみで神経所見がないとされ[6]，"めまいだけ"の脳卒中をいかに除外するかが求められます（図3）。

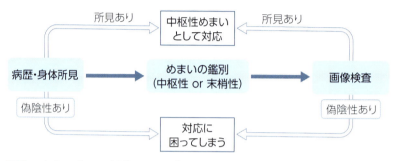

図3　めまい症の一般的なマネジメント

「病歴・身体所見→鑑別→検査」という診断の王道でめまい診療を進めようとしても，強すぎるめまいで所見が取れないという問題があり，そこで検査を先行させても偽陰性の壁が立ちはだかります。めまいが強くなくて所見が取れる場合も，神経所見が偽陰性の中枢性めまいを除外したいができないというジレンマからは抜け出せません（図3）。

めまい症のマネジメントは，入手できる情報から総合評価して決める

このように，めまい症の方針を決めるためには一般的な病歴・身体所見と画像だけでは手詰まりです。そこでこれに加え，眼振の評価を含めた「めまい特有の所見」が絶対に必要になってくるのです（図4）。この「めまい特有の所見」の解釈には知識と慣れが必要なため初学者は避けてしまいがちです。しかし，面倒だからとこの診察をスキップすると，負のスパイラルから抜け出せず，いつまで経ってもめまいが難しく感じられてしまうのです。

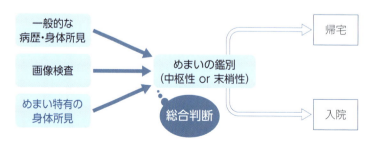

図4　めまい症の王道マネジメント

めまい症のマネジメントの王道は，①病歴・身体所見，②頭部画像，③めまい特有の所見，という3つの情報を可能な範囲で集めて総合判断し，方針を決めることなのです。そして外来では最終診断に至らなくても帰宅/入院の方針を決めることをゴールとします。もちろん，診断がつけられることが理想ですが，診断に至らなくても方針は決められるようにして下さい（図4）。

めまい診察はなぜ難しいか？
- ☑ めまい症状が強いと病歴・身体所見→鑑別診断→検査と順序立てて診断できない
- ☑ CT/MRI検査では，確定診断できても中枢性めまいは除外診断できない
- ☑ 眼振も含めためまい特有の身体所見の解釈が難しい

めまいのマネジメントはどうすればよいか？
- ☑ 病歴，身体所見，画像検査に加え，めまい特有の所見から総合判断して帰宅/入院を決める

さあ，次項から，（逃げないための）めまい特有の所見の取り方とマネジメントを解説していきます。やってみると意外と簡単！　誰もが必ず理解し実施できますので，乞うご期待！

文 献

1) Wasay M, et al:Dizziness and yield of emergency head CT scan:Is it cost effective? Emerg Med J. 2005;22(4):312.
2) Tarnutzer AA, et al:Does my dizzy patient have a stroke? A systematic review of bedside diagnosis in acute vestibular syndrome. CMAJ. 2011;183(9):E571-92.
3) Chalela JA, et al:Magnetic resonance imaging and computed tomography in emergency assessment of patients with suspected acute stroke:a prospective comparison. Lancet. 2007;369(9558):293-8.
4) Oppenheim C, et al:False-negative diffusion-weighted MR findings in acute ischemic stroke. AJNR Am J Neuroradiol. 2000;21(8):1434-40.
5) Saber Tehrani AS, et al:Small strokes causing severe vertigo:frequency of false-negative MRIs and nonlacunar mechanisms. Neurology. 2014;83(2):169-73.
6) Kerber KA, et al:Stroke among patients with dizziness, vertigo and imbalance in the emergency department. Stroke. 2006;37(10):2484-7.

末梢性めまいが3疾患でOKな理由

　本書ではめまい症の鑑別として，中枢性めまいと末梢性めまいの鑑別を解説していますが，そのうち末梢性めまいは前庭神経炎，BPPV（後半規管），BPPV（水平半規管），クプラ結石しか出てきていません。そのほかにも有名なメニエール病（といってもかなり稀な病気）などは鑑別には挙がりますが，上記の前庭神経炎，BPPV，クプラ結石の3つ以外のめまい症を非専門医が診断・治療できる必要はないと筆者は考えます。

　上記3つのめまい症は，診察方法を覚えれば非専門医でも診断可能なめまい症であり，さらに聴覚症状がなく自然軽快します。十分に説明し患者さんに理解して頂ければ，専門医に診察依頼をする必要がない自己完結型の疾患なのです。もちろん，それでも耳鼻科受診を希望する患者さんもいます。しかし上記3つの末梢性めまいと筆者が診断し説明した後に，耳鼻科受診を希望する患者さんは100人に1人いるかいないかです（希望時にはきちんと紹介状を作成し紹介します）。

　ただし，難聴や耳鳴りなどの聴覚症状がある場合は必ず紹介します。その理由は，多くの救急現場では聴覚検査が実施できないためです。そして聴覚症状があった場合は，自然軽快しない可能性もあるため専門医のフォローアップは必須です。これらは非専門医が自己完結できない疾患群です。ただし，これらの聴覚症状があるめまい症患者が耳鼻科以外の外来に初回受診する頻度は数百人に1人程度です。稀なので，耳鼻科へ診察依頼をする機会は多くはありません。

　初学者や経験のない医師，また，耳鼻科医やめまいをよく診ている医師が近くにいない医師は，自分がとった所見や診断の確認のために後日，患者さんに耳鼻科を受診させ"答え合わせ"をしたくなります。しかし，多くのめまい症は時間経過とともに良くなっていることが多く，特に帰宅可能で外来の耳鼻科を受診した際には眼振も消失しており，"答え合わせ"はできないことがほとんどです。

Part 1　画像に頼らない，明日から使えるめまい診察伝授

2　身体所見"だけ"で診断できるBPPVとクプラ結石
―動画を使い，独特の診察法を完全マスター

　本項では，身体所見を取ることが可能なめまい症例への対応を伝授します。Part 1-①(☞5頁)の症例2で，自分ならどう対応するかイメージして下さい。

症例	めまい
50歳女性。起床時からめまいがあり，改善しないため受診。体動時は辛そうだが，問診と身体所見はかろうじて取ることができる。バイタルサインは安定している。	

　まず，めまいを「回転性」か「失神前症状」か，「浮動性」かを鑑別することから始めます。そして回転性を疑い診察可能な場合には，一般的な病歴と身体所見に加え，"めまい特有の身体診察"が必要です。それが，「supine roll test」と「Dix-Hallpike test」です。本症例でもこの2つをまず実施します。これらは良性発作性頭位めまい症(benign paroxysmal positional vertigo：BPPV)の検査です。
　まずは，「supine roll test」と「Dix-Hallpike test」の理解・実施のためにBPPVの病態生理を理解しましょう。

BPPV

　BPPVは三半規管に耳石が迷い込んで発症するめまい症です。正常では身体を動かすと三半規管の中のリンパ液が動くことで回転運動を感じるという仕組みがあります。ところが，この三半規管に耳石が入り，体動時に通常とは異なる刺激が加わり，めまいを引き起こすのがBPPVの原因です。BPPVのうち6割が「後半規管」，4割が「水平半規管」に耳石が迷入し，「前半規管」は非常に稀とされます。したがって実臨床では前者2つをおさえておけば十分です。
　では，このうち理解が容易な水平半規管のBPPVから見ていきましょう。

水平半規管のBPPV

　水平半規管の解剖を身体でイメージしてみましょう。まず，両腕を前にまっすぐ突き出し，肘を軽く曲げて下さい。これが水平半規管の解剖学的な位置とほぼ一致します（図1）。
　図1の左腕にある腕時計はとても大きく・緩くて移動可能です。これを耳石だと思って下さい。BPPVは半規管に耳石が迷入して誘発されますが，時計ならぬ耳石を動かすためには身体をどのように動かせばよいでしょう？（ヒント：時計が手首→肘→肩と最も移動するのはどのような運動でしょう？）
　答えは，仰臥位になり，そのままゴロゴロと右向き⟷左向きと寝返りを打つ運動です。ただし，三半規管は耳の中にありますので，頭だけを右向き⟷左向きと動かす動作で十分です。これが「supine roll test」と呼ばれる診察です（図2）。supine roll testは傍から見るとただ仰臥位で首を右・左とゆっくり振るだけに見えますが，診察と同時に眼振を確認しなくてはいけません。その診察にはちょっとしたポイントがあります。

図1　水平半規管のイメージ

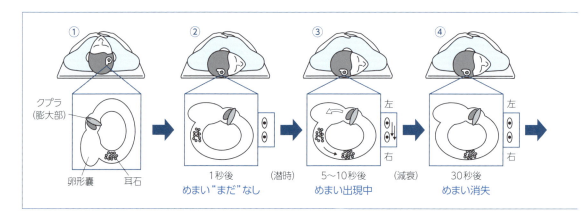

図2　supine roll test

supine roll testと眼振の解釈

　まず，右の水平半規管に耳石が迷入したBPPVを例とします。仰臥位で安静にしている状況では耳石は三半規管の最も低い位置でとどまっており，この時点では耳石も動きがないため眼振やめまいは認めません（図2①）。

　この状態から頭位を右に向けた直後はまだ耳石は動きません（図2②）。三半規管は粘稠なリンパ液で充填されているため動き出すのに数秒を必要とし，このタイムラグを「潜時」と呼びます。数秒後にいったん耳石が動き出すと眼振が出現し，患者さんもめまいを訴えます（図2③）。しかし，30秒も経たないうちに，耳石が三半規管の最下点へ向かうにつれ症状は軽減し，最後には眼振やめまいも消失します（図2④）。このフェードアウトする様を「減衰」と呼びます。

　まったく同じことを今度は左向きのsupine roll testで実施すると，右同様に潜時を伴って眼振が出現し，やがて減衰していきます（図2⑤〜⑦）。このとき注意すべきは眼振の方向が逆向きになることです。これは左右の頭位変化で耳石の落下方向が逆向きとなるためです（図2③，⑥）。このように右向きと左向きで眼振の方向が変わることを「方向交代性眼振」と呼びます。BPPVは潜時，減衰，方向交代性眼振の3つの眼振が特徴です。supine roll test実施時にはこの所見をしっかり確認していきましょう。

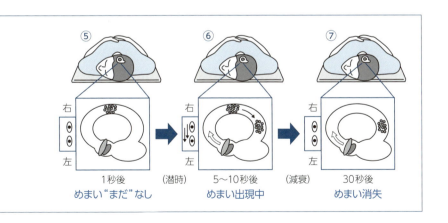

クプラ結石

クプラ結石は，三半規管の中のクプラに耳石が直接付着して起こる頭位変換性めまいです（図3）。理論的には後半規管や前半規管のクプラ結石もありますが，疫学的にはクプラ結石は水平半規管がほとんどです。したがって，「クプラ結石」≒「水平半規管のクプラ結石」と考えて対応して問題ありません。

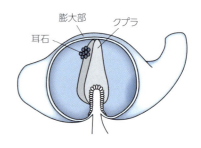

図3　クプラ結石

では，クプラ結石で頭位変換性めまいが起こるメカニズムを見ていきましょう。まず仰臥位ではクプラが比較的，垂直方向に位置しているため，耳石が付着してもほとんど動かずめまい症状や眼振は出現しません（図4A①）。しかし右向き（ないしは左向き）になると耳石がクプラを傾けることで眼振が誘発されます（図4A②，③）。

ここで問題。水平半規管のクプラ結石と水平半規管のBPPVの鑑別はどうすればよいでしょう？　答えは"減衰の有無"です。BPPVは減衰あり！　耳石の移動が終了するとともに症状が減衰し最後には消失します。一方，クプラ結石は減衰なし！　耳石が付着した

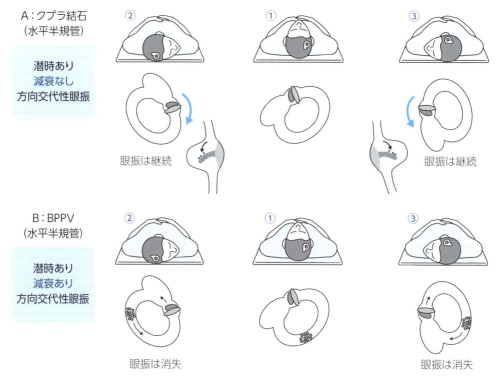

図4　水平半規管におけるクプラ結石とBPPVの鑑別

クプラは頭位を固定していればいつまでも傾いたままであり，症状は消えません。

　ちなみにクプラ結石も頭位変換直後はクプラの傾きに数秒かかり（潜時），左右の頭位変換時の眼振の向きは，クプラの傾きと逆方向になる（方向交代性眼振）ため，潜時と，頭位変換時の眼振の向きからは，クプラ結石とBPPVの鑑別はできません（図4）。

　水平半規管のBPPVかな？と思っても，眼振が減衰するかどうかを30秒以上しっかり診ていき，減衰すればBPPV，継続すればクプラ結石と判断します。

　残念ながら，クプラ結石と水平半規管のBPPVで十分なエビデンスのある治療法（薬物療法や手技）はありません。理論的には仰臥位→左側臥位→伏臥位→右側臥位……と30秒ごとに1回転する方法（Lempert法）で耳石は移動するはずですが，治療効果は乏しいです。この水平半規管のBPPVに対するLempert法は子ブタの丸焼きをバーベキュー料理する所作に似ており"バーベキューロール法"と呼ばれることもあります。チャレンジしても治療時にめまいが誘発され患者さんは辛く，それでいてエビデンスが十分ではないため，筆者は行っておりません。

　治療法がなくても，診断名と自然経過を平易な言葉で説明し，数日〜1週間ほどで徐々に軽快することを伝えれば，多くの患者さんは安心して帰宅されます。

後半規管のBPPV

　次に，後半規管のBPPVの診断と治療について解説します。まずは後半規管の解剖をイメージで確認しましょう。腕を半規管に見立てた場合，こぶしを腰に当てて肘を45°ほど後ろに引いた位置がちょうど後半規管になります（図5）。

　さて，右の後半規管に耳石があったとします。患者さんが座っている場合に耳石を動かすにはどうしたらよいでしょう（自分で肘を曲げて後半規管のポーズをとり，考えて下さい）。

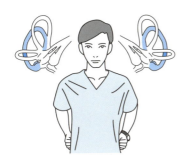

図5　後半規管のイメージ

Dix-Hallpike test → Epley法

　後半規管の耳石を動かすには，まず坐位の状態から頭を45°患側に（この場合は左後半規管結石）水平に回旋させ，そのまま後ろに倒して仰臥位にします。最後は10〜20°程度後屈気味にできると完璧です。この動きがまさに"Dix-Hallpike test"となります（図6①→②→③）。BPPVは前述の通り潜時→眼振→減衰という時間による経過をたどりますので，患者さんを倒した後は眼振をしっかり診るようにして下さい。

　もしDix-Hallpike testでめまいが誘発されたら，そのまま治療に入ります。これがEpley法です（図6④→⑤→⑥）。この複雑な手技が，めまい診療を嫌われ者にしている原因のひとつと筆者は考えています。

　この手技を完全にマスターする最大のポイントを伝授します！　書籍と同時に必ず動画を視聴すること，そして自分でやってみること，です。最低5回は実践して下さい。この手技はスポーツと同じで"読んだ""見た"だけでは絶対にできるようになりません。繰り返し自分でやってみて，最後はナースに教えながらできれば免許皆伝です。研修医はぜひとも全員実施できるようになって下さい。浸透するまで時間はかかりますが，感染症におけるグラム染色や血液培養2セットのように，一度定着すれば，なくてはならないものになります。めまいの診察では必ず実施される"文化"となるまで実直にやり続けて下さい。

Dix-Hallpike testで眼振が出ないとき

　Dix-Hallpike testで後屈懸垂位にして（図6③），めまいが誘発されなかった場合は，再び坐位に戻します。坐位の直後にも眼振が再度出現しないか確認しましょう。右向きで所見がない場合は，今度は反対の左向きでDix-Hallpike testを行います。右が陰性でも，左向き懸垂位で眼振＋症状があれば，Epley法へ移行します。左右実施して眼振がまったくない場合は，他の疾患を考えます。

　なお，後半規管も方向交代性眼振はあり，「坐位→懸垂位」と「懸垂位→坐位」で眼振の向きが反対になります。ただ，実臨床ではDix-Hallpike testを実施し「坐位→懸垂位」で眼振が出ればそのままEpley法に移行するため，頭位変換眼振を確認することはありません。

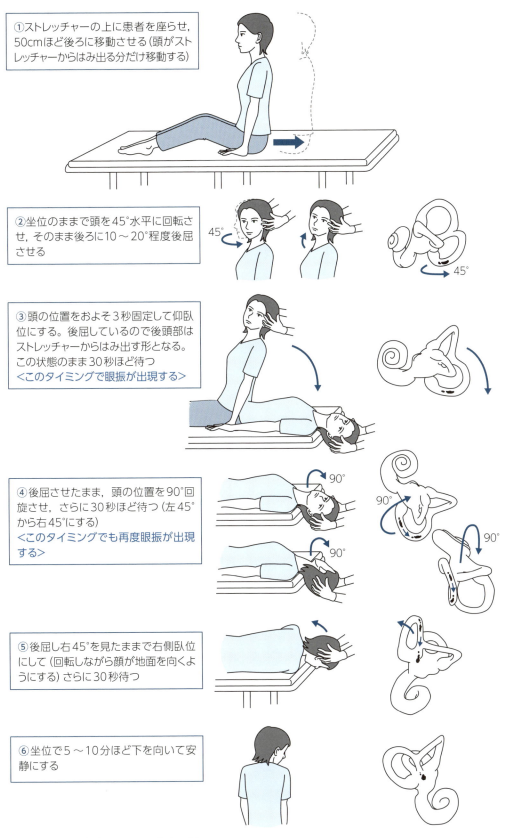

図6 Dix-Hallpike test→Epley法

Dix-Hallpike testのエビデンス

100年ほど前に報告されたDix-Hallpike testですが[1]，その有用性はいかほどでしょうか？ 表1に感度・特異度をまとめました[2〜5]。ここで注意したいのは，「BPPVの診断のゴールデンスタンダード」がないため，その検査であるDix-Hallpike testの感度・特異度の数値は意見がわかれるという点です。

さらに，これらの臨床研究では患者層にもバラツキがあります。クリニックに歩いて来院しためまい患者群か，動けないため救急車でERに集まっためまい患者群か，来院方法によりBPPVの割合は異なるため，検査の数字に幅を持たせてしまいます。

表1　Dix-Hallpike testのエビデンス

	BPPVの診断基準	感度	特異度
Katsarkas A, et al, 1978[2]	頭位変換時にめまいあり	78%	—
Froehling DA, et al, 1991[3]	頭位変換時にめまいあり	50%	—
Herr RD, et al, 1989[4]	頭位変換時にめまい，ないしは嘔吐	43%	94%
Halker RB, et al, 2008[5]	頭位変換時に眼振あり	79%	75%

(文献2〜5をもとに作成)

Epley法のエビデンス

Epley法の治療必要数(number needed to treat：NNT)は，なんと「2」です[6]！ つまり2人に1人は治るのです。これはたとえば脳梗塞におけるバイアスピリン®のNNTが111であることを引き合いに出すと，いかに優秀な数字かわかると思います。

一方で，BPPVは自然治癒する"benign：良性"の疾患です。診断できれば，なにも難しい"めまい体操"のEpley法を覚えなくても……という気持ちになるかもしれません。しかし，BPPV(後半規管)の回復までの中央値は17日と，それなりに時間がかかります。実際に他の医療機関を受診し診断がつかない，または治療しきれない再診の状態で筆者が出会い，診断・治療するケースはめずらしくありません。やはり初回で診断→治療まで貫徹させる意義は十分にあります。

よく聞かれる質問ですが……

筆者が主宰するセミナーで一番よく聞かれる質問は「supine roll testやDix-Hallpike test→Epley法と診断がついた頭位変換めまいに対して，検査はどうしていますか？」です。筆者は「きちんと所見が取れ，手技が貫徹されたBPPVやクプラ結石の患者では実施していません」と答えています。Polensekらは後半規管によるBPPVと診断された193

人のうち，136人（70.5％）に最低1つ以上の検査*が施行されたが，どれも診断に結びつかなかったとしています[7]。もちろん患者さんが頭部画像検査などを希望することもありますが，病状を丁寧に説明すると「検査はなしでいいです」となることがほとんどです。

*施行された検査：MRI（$n=76$），聴力検査（$n=64$），血液検査（$n=42$），CT（$n=32$），カロリック電気眼振記録（$n=24$），MRA（$n=23$）

● **BPPVとクプラ結石のポイント**
- ☑ supine roll testで水平半規管のBPPV（減衰あり）とクプラ結石（減衰なし）を診断すべし
- ☑ Dix-Hallpike test→Epley法の一連の流れで後半規管のBPPVの診断と治療をすべし
- ☑ これらの手技はスポーツと同じ。動画を見て，実技を自分で何度でも実施すべし

本章では身体所見の取れるめまい症として，BPPVとクプラ結石の「めまい特有の所見の取り方」について解説しました。次項では症状が強く病歴・身体所見の確認が困難なめまい症例の対応を伝授します。

文献

1) Bárány R:Diagnose von Krankheitserscheinungen im Bereiche des Otolithenapparatus. Acta Otolaryngol (Stockholm) 1921;2:434-7.
2) Katsarkas A, et al:Paroxysmal positional vertigo— a study of 255 cases. J Otolaryngol. 1978;7(4):320-30(abstractのみ).
3) Froehling DA, et al:Benign positional vertigo:incidence and prognosis in a population-based study in Olmsted Country, Minnesota. Mayo Clin Proc. 1991;66(6):596-601.
4) Herr RD, et al:A directed approach to the dizzy patient. Ann Emerg Med. 1989;18(6):664-72.
5) Halker RB, et al:Establishing a diagnosis of benign paroxysmal positional vertigo through the dix-hallpike and side-lying maneuvers:a critically appraised topic. Neurologist. 2008;14(3):201-4.
6) White J, et al:Canalith repositioning for benign paroxysmal positional vertigo. Otol Neurotol. 2005;26(4):704-10.
7) Polensek SH, et al:Unnecessary diagnostic tests often obtained for benign paroxysmal positional vertigo. Med Sci Monit. 2009;15(7):MT89-94.

3 前庭神経炎 vs 中枢性めまい：1
― 強いめまいは眼振だけでマネジメントする

本項では症状が強く，病歴・身体所見を取ることが難しいめまい症例の対応を伝授します。まず，Part 1-①（☞2頁）の症例1を再掲するので，その対応をイメージして下さい。

症 例	めまい
	50歳女性。起床時からめまいがあり，改善しないため救急要請。搬送後にストレッチャーへ移動したとたん嘔吐。症状が続き非常に辛そうで，問診はほとんどできない。身体所見を取ることも難しい。バイタルサインは安定している。

このような症例は，病歴聴取も不十分で，身体所見は取れず，Dix-Hallpike test（☞Part 1-②, 15頁図6参照）はとてもできそうな状態ではありません。そんなときに是非とも使ってもらいたいのが，フレンツェル眼鏡（できれば赤外線）です。もしビュンビュンと安静時眼振があれば間違いなく回転性めまいです。失神前症状や浮動性めまいで眼振が出ることはないので除外してOKです（図1）。

そしてフレンツェル眼鏡で安静時眼振を認めた場合に考えるのが，大多数である末梢性めまいの前庭神経炎と，稀ですができれば除外したい脳卒中による中枢性めまいです。この2つの鑑別には眼振の病態の理解が不可欠であるため，以下に解説していきます。

Column フレンツェル眼鏡を病院で新規購入する方法

本項で解説する眼振の診察は，必ずフレンツェル眼鏡を使って実施して下さい。眼鏡がないと見つけられなかった眼振が，使うことで見つけられることがめずらしくないからです。また，症状が強く診察時に辛くて目を閉じていた患者さんも，赤外線フレンツェル眼鏡をかければ真っ暗で何も見えないので開眼が可能となり，所見も取りやすくなります。

一方で，「うちの救急外来には置いていない」「耳鼻科にあるから2つも買ってくれない」などという悩みを持つ病院は多いと思います（何を隠そう，筆者の赴任先である現

図1　赤外線フレンツェル眼鏡の活用

在の病院がそうでした）。そこで，病院にフレンツェル眼鏡を購入してもらうためのノウハウを伝授したいと思います。

　まず，年間（または月間）で救急外来，時間外外来を受診するめまい主訴の患者さんの数に，3,000を掛けて下さい（保険点数で300点）。その数字が年間（または月間）の赤外線フレンツェル眼鏡の導入による病院収入になることを，フレンツェル眼鏡の見積書と一緒に提出するだけです（ほとんどの病院が1年で元手が取れます）。フレンツェル眼鏡は適応が広く，しかも侵襲がまったくない検査ですので，あとはどんどん実施するのみです。コストの取り忘れには注意して下さい。ちなみに，筆者のフレンツェル眼鏡における利益相反（COI）はございません。

前庭神経炎のメカニズム：方向固定性眼振

　まずは，安静時眼振の代表選手である前庭神経炎の眼振についてみていきます。前庭神経炎では"方向固定性眼振"と呼ばれる，どの方向を見ても常に同じ方向の眼振が出現します。この方向固定性眼振がなぜ起こるか，そのメカニズムを解説します。

　正常の場合に前庭は，左右から眼球を中央に戻そうとする力を働かせています（図2A）。ここで前庭神経炎により，右の前庭が機能しなくなったとします（図2B）。正面を見ようとしても左の前庭が眼球をゆっくり右へ向けます（緩速相）。すかさず正面を向こうと左へ眼球が動きます（急速相）。これが，前庭神経炎で安静時眼振が出る仕組みです。

　さらに前庭神経炎で健側を側方注視してみます（図2C）。左側方注視は正面を向いて

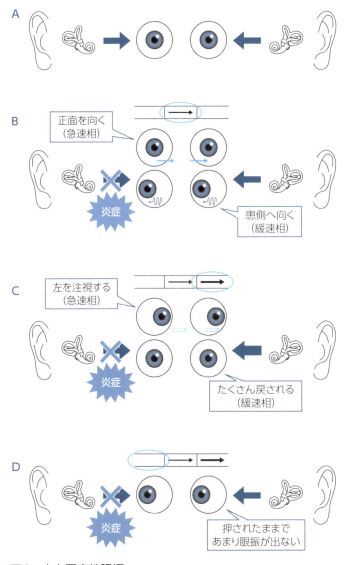

図2　方向固定性眼振

いたときより，より前庭が押す力に逆らおうとするため，たくさん動く必要があり（急速相），さらに戻される幅も大きくなります（緩速相）。このように前庭障害で健側を向くと，より強く眼振が出る現象を，発見者の名を取って"アレキサンダーの法則"と呼びます。

最後に，患側を向く場合では，押される力になすがままになり，あまり眼振は出ません（図2D）。

> **前庭神経炎の眼振** 動画はこちら
> - ☑ 前庭神経炎は安静時に常に同じ方向の眼振（方向固定性眼振）が出現する
> - ☑ 前庭障害では健側を向くとより強く眼振が出る（アレキサンダーの法則）

前庭神経炎以外が原因の方向固定性眼振

方向固定性眼振（±アレキサンダーの法則）を見つければ前庭神経炎でほぼ決まりなのですが，一部例外があります。前庭障害は炎症だけでなく，脳梗塞でも起こります（図3）。前庭は前小脳動脈から栄養されているため，この血管の虚血が前庭障害を起こし，方向固定性眼振が出る可能性があるのです。実際に方向固定性眼振のうち2.5〜3.6％は中枢性とする報告もあります[1)2)]。

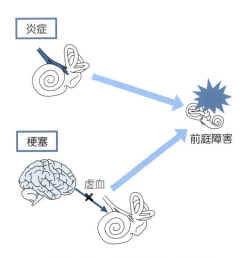

図3　前庭障害の原因（炎症，脳梗塞）

中枢性眼振のメカニズム　その①：注視方向性眼振

　次に，中枢性めまいの眼振を解説します。まず左右の側方注視は脳によってコントロールされています（図4A）。そこへ中枢性疾患が起こると側方注視ができなくなります（図4B）。この状況で左右を側方注視しようとしても一瞬はパッと向くことができますが（急速相），固定できないため徐々に中央へ戻されてしまいます（緩速相）。その結果，右を向くと右向きの眼振が，左を向くと左向きの眼振が出現します。このように中枢性めまいの眼振は注視したほうに出現するため，"注視方向性眼振（direction changing nystagmus）"と呼ばれます。なお，正中を向いたときの眼振は左右どちらでもかまいません。

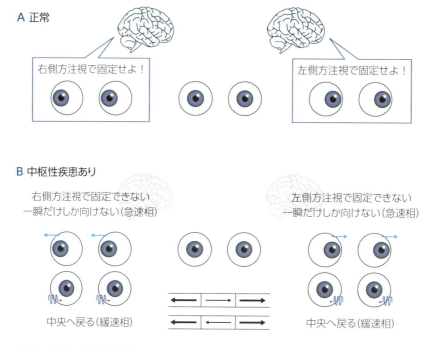

図4　注視方向性眼振

中枢性眼振のメカニズム　その②：垂直性眼振

　中枢性めまいと言えば垂直性眼振（vertical nystagmus）というくらい有名です。その仕組みは，脳の上下方向の注視が障害されて，上下方向の固定ができずに眼振が出現すると覚えれば，理解が容易です（図5A，B）。

　垂直性眼振は有名なのですが，実臨床で遭遇することはとても稀です。年間約1万件の救急搬送を受ける当院でも1年に一度見るか見ないかです。

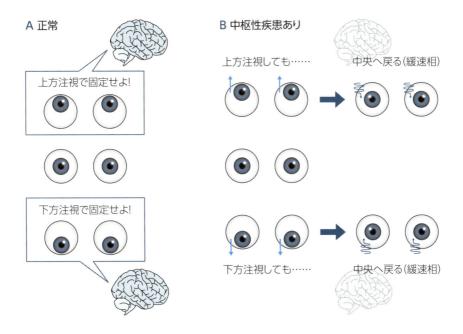

図5 垂直性眼振

中枢性眼振の有用性はいかに？

動画はこちら[ほ]

　中枢性めまいに対する注視方向性眼振の感度は38％，特異度は92％と，診断上rule inするには十分な数字です[3]。垂直性眼振の診断率は文献が見当たらず不明ですが，経験的にはとても特異度が高いと感じています（ただし前述のごとく稀な所見です）。これらの眼振を認めたのであれば，中枢性めまい疑いとしてアクションしていきます。

> ### EBMの時代からYBMの時代へ
>
> 　動画配信が個人でも可能となり，インターネット上でも眼振の様子が容易に確認できるようになりました。YouTubeの検索欄に「Alexander's law」「direction changing nystagmus」「vertical nystagmus」「BPPV nystagmus」と入力すると，本項で紹介した眼振が確認できます（コツは必ず英語で入力すること）。ぜひ一度ご覧になって下さい。時代はEBMに加え，YBM（YouTube based medicine）なのです。

眼振だけで，めまいのマネジメントを進める

　救急搬送患者が"めまいが強すぎて病歴も身体所見もほとんどまともに取れない！"という場合は，そっとフレンツェル眼鏡を当てて下さい（図6）。ここで安静時眼振が見えれば，あとは中枢性めまいか前庭神経炎かの鑑別を進め，それ以外の診断は除外されます。

　このときに，もし安静時眼振が注視方向性眼振や垂直性眼振ならば，すぐにCT/MRIを実施して下さい（図6①）。胸痛患者でまず心電図をとり，ST上昇があればすぐに冠動脈造影（coronary angiography：CAG），というマネジメントと似ています。これらの眼振は中枢性めまいとして特異度が高く，もし脳卒中であれば重症かつ緊急度が高いため真っ先に画像評価すべきなのです。

　そして，これらのCT/MRI検査が正常でも画像検査が偽陰性の可能性があるため，経過観察入院を勧めて下さい。中枢性めまいにおいて，MRIは遅発性に所見が出ることはめずらしくないと解説しましたね（☞Part 1-①，4頁参照）。

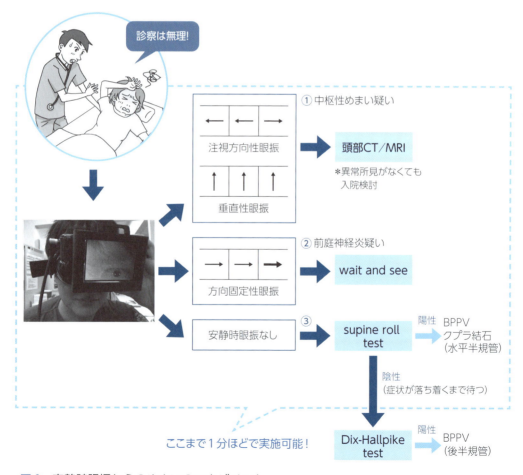

図6　安静時眼振からのめまいのマネジメント

一方で，方向固定性眼振（±アレキサンダーの法則）を認めたのであれば，その多くは前庭神経炎です．まずは"wait and see"，嘔吐が強ければ制吐薬を使いながら症状が取れるのを待つのがリーズナブルな作戦です（図6②）．1時間ほどして症状が取れ，診察可能となったら改めて病歴・身体所見を取り，必要な検査があれば実施します．方向固定性眼振の多くは前庭神経炎で，帰宅可能なことが多いですが，数％は脳梗塞の可能性があるので慎重に対応しましょう．

　もし安静時眼振がまったくなかった場合はsupine roll testを実施します．顔を横に向けるだけなので，患者さんの負担も少なく，症状が強くても実施可能です（図6③）．そこで頭位変換眼振が出現すれば，水平半規管の良性発作性頭位めまい症（benign paroxysmal positional vertigo：BPPV）ないしクプラ結石の診断がつきます（☞ Part 1-②，12頁図4参照）．

　この手順で，眼振を診るだけの診察は来院してから1分ほどで実施可能ですが，大変多くのことがわかり，診断の方向性も見えてきますのでlet's tryです！

　supine roll testが陰性の場合はPart 1-②（☞ 15頁図6参照）のごとく落ち着いてからDix-Hallpike testを実施してみて下さい．

　なお，これらの診察がすべて陰性の場合は症候学的に回転性めまいと他の主訴を勘違いしている可能性があります．回転性めまい以外の嘔吐症状をきたす原因を考えてみて下さい．

> **前庭神経炎と中枢性めまいのポイント**
> ☑ めまいが強すぎて所見が取れない場合は，まずフレンツェル眼鏡をかけてみる
> ☑ 方向固定性眼振を認めれば，前庭神経炎として少し待ってみる
> ☑ 注視方向性眼振・垂直性眼振があれば脳卒中として迅速・慎重に対応する

文 献

1) Harrison MS, et al：Positional vertigo. Arch Otolaryngol. 1975；101(11)：675-8.
2) Stahle J, et al：Paroxysmal positional nystagmus；an electronystagmographic and clinical study. An electronystagmographic and clinical study. Ann Otol Rhinol Laryngol. 1965；74：69-83.
3) Tarnutzer AA, et al：Does my dizzy patient have a stroke? A systematic review of bedside diagnosis in acute vestibular syndrome. CMAJ. 2011；183(9)：E571-92.

Part 1　画像に頼らない，明日から使えるめまい診察伝授

4 前庭神経炎 vs 中枢性めまい：2
── HINTSは3つあるため，実はけっこう使えない

　初診時に，中枢性めまいと前庭神経炎を完璧に鑑別することはMRIを利用してもできないことは既に述べました。ところがKattahらは，診察のみで中枢性めまいを除外するルールであるHINTS（☞28頁表1参照）を発表しました[1]。HINTSはなんと3種類の眼振だけで中枢性めまいが除外可能というのが売り文句です（感度100％！）。その3種類の眼振のテストが，①head impulse test，②nystagmus（注視方向性眼振），③skew deviation，の3つです。②については前項（Part 1-③参照）を見て頂くこととし，ここでは①，③について解説します。

head impulse test

　まず患者の正面に入り，1点（たとえば医師の鼻の頭など）を見つめてもらいます。これから急激な首振りテストを行うことを伝え，可能な範囲で頭と首の力を抜いてもらいます。そしてまず左向きで固定します。この時点で顔は左を向きますが視線はずっと1点を固定して見続けてもらいます。そして視線を固定したまま一気に正面を向かせます。同様に右向きからも一気に正面を向かせます。文章で理解するのは難しいので，必ず一度は動画（YouTubeで「head impulse test」と検索するなど）で確認して下さい。
　ここで観察するポイントは「視線が遅れるか」です。遅れがあれば前庭障害がありhead impulse test陽性となります。一方で，前庭障害がない場合（正常ないしは脳梗塞の場合），視線は遅れず正面を見たままです（図1）[2]。
　わかりにくい場合は，テスト実施中にスマートフォンのカメラを見つめてもらい，眼球所見を録画して，あとからスロー再生で確認する方法もあります。Newman-Tokerらは急性めまい症の42人に対しhead impulse testを実施したところ前庭神経炎ではすべて陽性となり，脳梗塞では91％が陰性になったとしています[3]。やはり感度・特異度100％とはならず，次の眼振テストであるskew deviationも確認します。

skew deviation

　skew deviationは日本語で「斜偏倚」と呼ばれ，馴染みのない方が多いと思いますが，実はその歴史は古く，生理学者のMagendieが1824年に動物で発見し，1904年に小脳腫瘍の患者でStewartとHolmesが発表するなど，100年以上も前から報告されてい

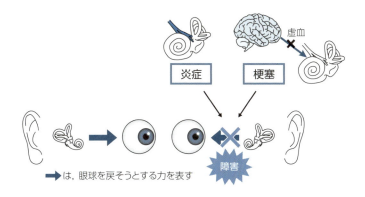

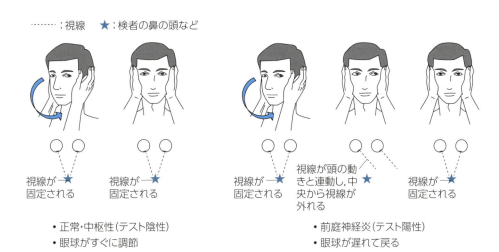

図1 head impulse test （文献2より引用）

ました。

　skew deviationを生理学から病態発症まで説明するとかなり複雑なので，ここでは世界一シンプルな説明とします（詳細は文献4参照）。

　まず，スマートフォンで自分の顔をアップで自撮りし，正面を見てから首を少し傾けて下さい。このとき片方の眼球は時計回り，他方の眼球は半時計周りに移動しています。顔が傾いても眼球は回転するので視線が固定され，視野は常に水平に保たれるのです。この生理的反射は脳幹で担われますが，脳幹梗塞など後方循環の脳卒中で障害されて起こるのがskew deviationの正体です。障害誘発のためには，片方ずつ眼球を隠し，目隠しを外した直後に眼球が動くかをチェックします（眼球tiltテスト，図2）。動くのは脳幹障害などの異常反射のためで，陽性ならば脳卒中を疑います。ただ，動きは一瞬でわずかですので，動画（YouTubeで「skew deviation」と検索するなど）でも必ずご確認下さい。

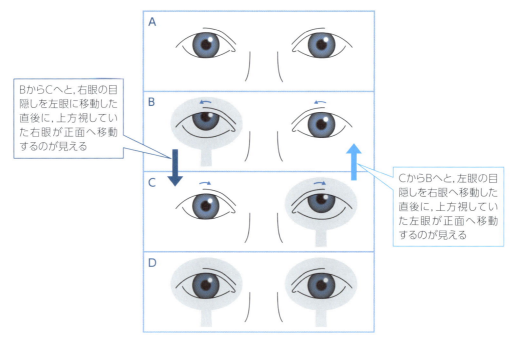

図2 眼球tiltテスト（skew deviation陽性例）

感度100％はホント？

これら3つの眼球運動の所見の頭文字，①**h**ead **i**mpulse test，②**n**ystagmus，③**t**est of **s**kew deviationから「HINTS」と名付けられたこの検査方法は（表1），近年のめまいのレビューに必ず登場します。めまい診療における脳梗塞に関しては，オリジナルの文献で感度100％[1]，追試でも感度95.6％[5]と，脳梗塞の除外可能感度に有用とされます。しかし，これらは100～200人の患者群の後ろ向き研究であり，多施設の前向き研究の結果が待たれます。

表1 急性めまい症における脳梗塞診断：HINTS

- **h**ead **i**mpulse test　　　陽性
- **n**ystagmus　　　　　　　方向固定
- **t**est of **s**kew deviation　　陰性

3つそろえば脳梗塞除外！？
（感度95.6～100％）

診察により無駄な画像検査が減るかもしれません。DumitrascuらはHINTSを行うことでめまい患者のCTの利用が18.5％→6.25％，MRIの利用が51.8％→31.2％へ減少したと報告しています[6]。しかし，診察はすべて慣れた神経内科により行われるべきで，救急医が実施するには困難とコメントされています。繰り返しますが，診察が難しいことがボトルネックになります。

HINTSの本音

新しいもの好きの後期研修医は果敢にHINTSを実施します。ただ、head impulse testはめまいが継続している患者、特に高齢者には過酷な検査で、行えないことも多いです。激しく首振りするためhead impulse testで徐脈が起こったとの報告もあります[7]。3つだけでOKというのは、言い換えれば、そのうち1つでも揃わなければ判断ができないということです。それぞれ判断が難しい身体所見であるため、診察者により評価が異なります。

このように実臨床ではHINTSが使えない場合もかなりあり、むしろ使いにくいというのが本音です。感度も100%"近い"ものですが、100%ではないでしょうし……。

> **HINTSは有効か？**
> ☑ HINTSは眼球の診察だけで中枢性めまいを除外するためのツール
> ☑ 感度は100%に近いので、実施できるようになることを目指す（努力義務）
> ☑ head impulse testとskew deviationは所見が取れるまで慣れが必要であり、すぐに誰でもできる診察ではない
> ☑ HINTSが実施できない患者さんも少なくない。そのときの対応も準備しておく

では、実際にHINTSが利用できないとき、どのような情報を入手して前庭神経炎と脳梗塞を鑑別し、最終的にマネジメントするかを次項で見ていきましょう。

文献

1) Kattah JC, et al: HINTS to diagnose stroke in the acute vestibular syndrome: three-step bedside oculomotor examination more sensitive than early MRI diffusion-weighted imaging. Stroke. 2009; 40(11): 3504-10.
2) Edlow JA, et al: Diagnosis and initial management of cerebellar infarction. Lancet Neurol. 2008; 7(10): 951-64.
3) Newman-Toker DE, et al: Normal head impulse test differentiates acute cerebellar strokes from vestibular neuritis. Neurology. 2008; 70(24 Pt 2): 2378-85.
4) Brodsky MC, et al: Skew deviation revisited. Surv Ophthalmol. 2006; 51(2): 105-28.
5) Newman-Toker DE, et al: HINTS outperforms ABCD2 to screen for stroke in acute continuous vertigo and dizziness. Acad Emerg Med. 2013; 20(10): 986-96.
6) Dumitrascu OM, et al: Pitfalls and rewards for implementing ocular motor testing in acute vestibular syndrome: a pilot project. Neurologist. 2017; 22(2): 44-7.
7) Ullman E, et al: Complete heart block complicating the head impulse test. Arch Neurol. 2010; 67(10): 1272-4.

5 中枢性めまいを見つけるための神経所見
―四肢の運動失調・構音障害・歩行障害の評価にはコツがある

　前庭神経炎と中枢性めまいの鑑別でHINTSは有用ですが，いつも使えるわけではありません。そんなときこそ，基本の身体所見に戻ります。本項では，決め手となるめまいの3つの神経所見，①四肢の運動失調，②構音障害，③歩行テストを解説します。

　3つの診察は，前庭神経炎と中枢性めまいの鑑別に迷うめまい症のマネジメントに有用なだけでなく，眼振がはっきりしない，一見，所見に乏しい場合の入院・帰宅のマネジメントにも有用です。

　では，①四肢の運動失調から確認しましょう。

①四肢の運動失調

　四肢の運動失調は感度40％前後と，必ず認めるわけではありませんが，特異度はかなり高い所見なので，見つけられればそれだけでも脳卒中としてマネジメント可能です。ぜひ拾い上げられるようになりましょう。

　評価方法としては，指−鼻−指試験，踵膝試験，手回内・回外試験を行います。これらの身体所見は大学のOSCEでおなじみで，所見を取ることは問題ありませんが，本物の四肢の運動失調がある患者さんの診察経験がない医師はかなり多いです。というのも，四肢の運動失調は稀な神経所見で，たとえば，筆者が勤務する年間搬送台数1万台の救急病院ですら，1年で1人見つけられるかどうかという頻度です。したがって，初学者は"四肢の運動失調は，所見の取り方は知っているけれど，異常を見つけた経験がない身体所見"という認識を持ち，正常か異常かの判断は経験のある医師と一緒に確認しましょう。

　さらに，もし本物の四肢の運動失調がある患者さんが来院した場合は，研修医同士で症例をシェアして身体所見を取らせてもらって下さい。中には「えっ，この程度で異常と判断するの？」と"微妙"で驚く症例も少なくありません。小脳梗塞という診断名を隠して神経所見を研修医に取ってもらうと，四肢の運動失調を指摘できないことは多いです。四肢の運動失調はまさに拾い上げる所見，それを見つける"コツ"を伝授します。

上肢の運動失調を拾い上げるコツ

　まず指−鼻−指試験のポイントは「振幅の異常」と「タッチする場所の異常」を，「左右差」がないか比較することです。「振幅の異常」は2種類あり，1つは左右に揺れながら目的にたどり着く，振戦する異常，もう1つは前後に揺れながらover shootする異常です（図

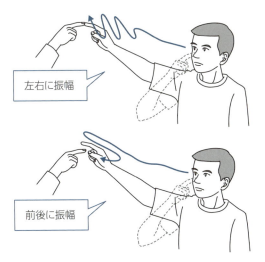

左右に振幅

前後に振幅

図1 指-鼻-指試験の異常例：その①

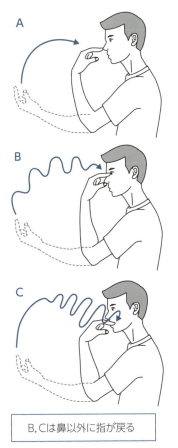

B、Cは鼻以外に指が戻る

図2 指-鼻-指試験の異常例：その②

1)。特に前後の異常は見逃しやすいので注意して下さい。「タッチする場所の異常」は，自分の鼻の頭を指さしているか確認しましょう（**図2**）。手技中は医師と患者の指先の動きに気を取られ，患者の指と鼻の位置関係の確認がおろそかになりがちです。

さらに，医師と患者2名で実施する指－鼻－指試験に続き，患者1名で実施する指鼻試験を行って，左右差も確認できるとよいです（**図3**）。指鼻試験は閉眼すると異常が誘発されやすくなります。

踵膝試験を省略しないこと

上肢の運動失調だけをみて下肢を省略してはいけません。右麻痺の患者さんをみたら，上肢のバレーで十分，下肢のMingazzini試験は省略……なんてことはしないですよね。小脳も上肢と下肢の運動調節領域がわかれているので，個別ないしは両方の所見が出る可能性は十分あります。四肢の運動失調は上肢も下肢も両方必ず確認して下さい。

下肢の運動失調は踵膝試験を実施します。うまくできない場合は，踵を膝の上にきちんとタップできなくなります。これも左右で比較し，その際にリズムの違いに注意するとよいでしょう。

交互に繰り返し実施して左右差を確認

図3 指鼻試験（1人で実施）

②構音障害

発声には第Ⅶ,Ⅹ,Ⅻ脳神経が関与しており,構音障害を診ることで中枢性めまいのうち脳幹梗塞の評価が可能となります。第Ⅶ脳神経(顔面神経)の障害では,口を閉じて開けるときの音「バ行」や「マ行」などの発音ができなくなります。第Ⅹ脳神経(迷走神経)の障害では,舌が軟口蓋に触れる「カ行」の発音が困難になり,反回神経麻痺では「嗄声(させい)」になります(表1)。

構音障害を確認するには,これら3種類すべての音が入っている単語を選びます。わかりやすい言葉なら「パトカー」「メダカ」などいずれでもよく,繰り返し10回ほど言ってもらいます。また家族が来院している場合は必ず家族の前で実施して,普段の発声と変化がないか確認してもらいます(高齢者の場合,MRI後は入れ歯が外されていることがあるので,診察時に入れ歯を戻すことをお忘れなく)。

表1 構音障害の確認で発音してもらう言葉

脳神経	関与する発音方法	発音*
Ⅶ 顔面神経	口を閉じてから開ける音	パ行・バ行・マ行
Ⅹ 迷走神経	舌が軟口蓋に触れる	カ行
Ⅻ 舌下神経	舌を動かす	サ行・タ行・ダ行・ナ行・ラ行

*この3種類の音が入っている言葉を繰り返し発音してもらう

③歩行テスト

歩行時のバランスは視覚・前庭・感覚(足底)の3つの情報を小脳が統合することで調節しています。もし前庭障害があると上記の入力情報が1つ少ない状況ですが,まだなんとか歩行は可能です(図4A)。一方で,小脳の脳卒中はコントロールセンター本部の障害のため,まったく歩行ができなくなります(図4B)。

この前庭と小脳の歩行障害の鑑別に有用なのがtandem gaitです。綱渡り(あるいは

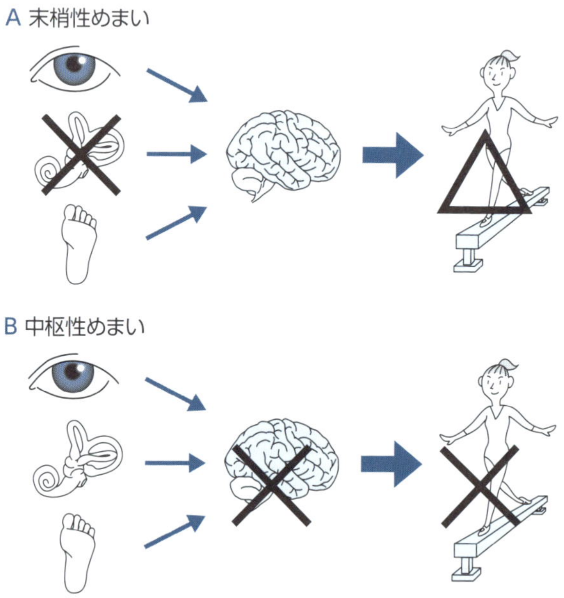

図4 末梢性めまいと中枢性めまいによる歩行障害

体操の平均台）の要領で"継ぎ足歩行"をしてもらう身体診察です（図5）。前庭障害だけならtandem gaitはできますが，大きくふらつくなど歩行できない場合は小脳疾患を疑います。

3つの所見はどれぐらい有用なのか？

四肢の運動失調・構音障害・歩行障害という，中枢性めまいの決め手に必要な大切な3つの身体所見。これらの所見はどれほどの頻度で出現するのでしょうか？

この出現頻度は小脳梗塞が起こる原因血管によって異なるので，解剖を確認する必要があります。小脳は上小脳動脈（superior cerebellar artery：SCA），前下小脳動脈（anterior inferior cerebellar artery：AICA），後下小脳動脈（posterior inferior cerebellar artery：PICA）の3つが主な栄養血管となります（図6）。SCAの末梢にある手や足のイラストは，この部位で四肢の運動調整をしていることを意味しています。そのためSCAの虚血では四肢の運動失調が約95％にも出現するのに対し，PICAの虚血では約30％にしか出現しません（表2）[1]。同様に構音障害は，SCAの虚血での発症72％に対し，PICAの虚血では約31％と出現頻度が異なります（表2）[1]。

3つの神経所見のうち，①四肢の運動失調と，②構音障害はPICAの小脳梗塞では出現しないこともあるため，所見がなくても中枢性めまいは除外できません。一方で，③歩行障害はSCAで100％，PICAで92.3％と出現頻度が高く[1]，感度の高い所見と言えます（表2）。歩行テストは中枢性めまいの除外に一役買う所見なのです。安静時眼振でHINTSも陰性，tandem gaitを含めた3つの神経所見がまったくなければ，中枢性めまいは否定的で，前庭神経炎疑いとしてマネジメントしてもよさそうです。

図5 tandem gait

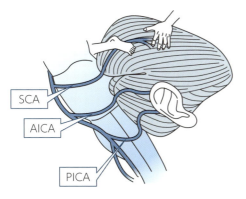

図6 小脳の栄養動脈

表2 虚血血管と所見の出現率

	PICA	SCA
四肢の運動失調	30.8％	94.4％
構音障害	30.8％	72.2％
歩行障害	92.3％	100％
眼振	61.5％	83.3％

（文献1をもとに作成）

tandem gaitが最後の試験

　筆者がめまい診察で研修医から受ける相談の多くは，「あらゆる診察や検査で脳卒中の所見はないめまい患者さんで，ただふらついて歩けない場合，入院・帰宅はどうすればよいですか？」というものです。この場合は実際に一緒にベッドサイドで診察し，本当に所見がないかを確認します。そして最後に，歩行テストで歩けない場合は原則入院です。ここで歩けるかどうかがめまい診療の最終試験だと筆者は考えます。

　Kerberらは初診で末梢性前庭障害と判断されたが，後に小脳梗塞の診断となった25人中7人が実は歩行障害があったとしています[2]。SavitzらはERにめまい主訴で来院し，神経所見と初回CTは異常なし，しかし後日に小脳梗塞と判明した15人の鑑別診断失敗症例のレポートを報告しました。そのうちなんと9人には歩行テストの実施をさぼっており，歩かせていたらこの失敗は防げたのでは，としています[3]。「めまい患者さんは，最後に歩けないなら帰さない」という金言が「わかっているのに，実際はできていない」ことを，この2つの臨床研究が示唆しています。

　「歩行障害の異常なら，末梢性めまいでふらついているはず……」という安直なマネジメントに飛びつきたい思いが頭をよぎります。しかし，めまい＋歩行障害という組み合わせだけでも中枢性めまいに対する陽性尤度比は3.71とかなり高い数字です[4]。一見簡単そうに思えて意外と難しい，「最後に歩けなければ入院とする」ことができて，めまい診療は合格と言えるのです（図7）。

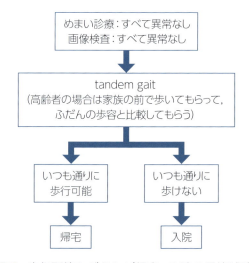

図7　歩行可能かどうかが帰宅・入院の最終試験

実は医学的でないところに問題がある!?

　めまい患者さんで「最後に歩けなければ入院とする」というルールを徹底できない理由は、"誰がそのめまい患者さんの主治医になるか"という、医学的ではない点がボトルネックであったりします。

耳鼻科医
……実は前に末梢性めまいと言われたけど、脳卒中だったからな。神経所見を取るのは苦手だし、脳外科に一度コンサルトしてから声をかけてほしいな

脳外科医
……ほとんどのめまいは末梢性じゃないか。本当の中枢性なら入院は取るけど、診断がつく前の疑い患者でコンサルトというのはちょっと勘弁してほしいよ

ER型医師
……僕らは入院患者を持たない専門医なんだ。耳鼻科はうちじゃない、脳外科もうちじゃない。みんなうちじゃない科の疾患なら患者さんに頑張って帰ってもらうしかないよ

総合診療医
……診断をつけるのが総合診療部でも、結局耳鼻科か脳外科かどちらかの疾患に決まっている。場繋ぎの入院までは勘弁してほしいな。ただでさえ複合疾患の患者さんが増えて入院も多いし、当該科が2つならどちらかに主治医をお願いしたいな

　そんな、各診療科の心の声がある一方で、行き場の定まらない患者さんが宙ぶらりんになってしまいます。

ERで診断がつかないめまいの入院対応は難しくない！

　診断がつかなくてもめまいの入院管理は決して難しくありません。神経症状の有無に目を光らせながら，必要があれば時間をおいてMRIを再検します。神経症状の出現や再検のMRIで異常が出れば脳卒中の診療科医師へコンサルトです。一方，数日でめまいも改善し画像で異常がなく歩行できれば，末梢性めまい疑いとして帰宅です。聴覚症状があれば耳鼻科でフォローアップしてもらいますが，なければ特に再診もなしでOKです。やはり難しいマネジメントではありません。

　多くの病院で，マネジメントが難しくないめまい患者さんの対応に初診医が苦慮するのは，このようなケースで誰が主治医になるか取り決めがないためです。仮に担当医が決まっても"自分の患者なのか？　そんなルールはないのに……"と感じてしまうのはよくありません。「当院は困っていないよ。うちは●●科の◇◇先生がいつも主治医になってくれるんだ」と初診医が思っていても，実はその"◇◇先生"はストレスを抱えているかもしれません。往々にして"いつも"主治医になってくれる先生は，人柄が良く，たくさん病棟患者さんがいて，そして仕事に忙殺され家に帰れない先生だったりします。この"主治医問題"が，実はめまい診療における最後のハードルかもしれません。皆さんが本書で完璧な医学的なマネジメントを体得し，"主治医問題"を解決してこそ，初めてめまい診療が完成することを覚えておいて下さい。

これで完璧！　めまいマネジメント

- ☑ 四肢の運動失調，構音障害，歩行テストの3つを確認すること
- ☑ 四肢の運動失調，構音障害があれば脳専門医へコンサルト
- ☑ 歩行テストができなければ原則，入院経過観察とする
- ☑ 主治医問題が解決して初めて，めまい診療は完成する

めまいの処方薬は"グリーンピース"

　めまいの治療に効果があるという十分なエビデンスのある投薬治療は，ないのが現状です。点滴ならばメイロン®，アタラックス®P，ホリゾン®などを使う先生もいます。一方で，抗コリン薬やベンゾジアゼピンはめまい症状を悪くするという報告もあります。そもそも多くの臨床研究はこれらの投薬の対象として，めまい患者全般としており，BPPVに効果があるのか，前庭神経炎だけなのか，はたまた一部中枢性めまいが入っていても効果があるのかも不明なので，本来の治療効果はわからないのです[5)〜8)]。

　筆者は，頻回嘔吐がある場合はプリンペラン®を使用しますが，急速投与や頻回使用で錐体外路症状が出ることがあるので注意は必要です。

　「これらの薬を絶対使ってはダメ！　禁忌！」というつもりはありません。しかし，投薬をすることよりも，今までに記載した所見をどこまで確認できるかどうかが重要です。そして患者さんに届く言葉で説明し，理解してもらっているかどうかということのほうが，薬を出すことよりはるかに重要です。

　帰宅時に患者さんが処方を希望することもありますが，処方するかしないかよりも，やはり説明が重要となります。めまいが改善して中枢性が否定され帰宅可能なのであれば，①中枢性めまいを可能な範囲で除外したこと，②めまいに対する十分な医学的根拠のある治療薬がないこと，③時間経過で良くなる可能性が高いこと，の3つを患者さんの心に届くようなわかりやすい言葉で説明することが大切です。メリスロン®，セファドール®などの"帰宅処方"をたくさん出しても，満足しているのは医師だけだったりします。

　患者さんが過去に耳鼻科から処方された薬を希望する場合に，副作用がなければ出すこともありますが，めまい症の処方はあくまでオプション。チャーハンにちょんと乗っているグリーンピースみたいなものです。中華料理店でオーダーしたチャーハンで大切なのはグリーンピースがあるかではなくチャーハンであり，同様にめまい症で大事なことは，診断やその後の説明という"チャーハン"の部分がどれだけしっかりしているかです。

文 献

1) Deluca C, et al：Ataxia in posterior circulation stroke：clinical-MRI correlations. J Neurol Sci. 2011；300(1-2)：39-46.
2) Kerber KA, et al：Stroke among patients with dizziness, vertigo, and imbalance in the emergency department：a population-based study. Stroke. 2006；37(10)：2484-7.
3) Savitz SI, et al：Pitfalls in the diagnosis of cerebellar infarction：Acad Emerg Med. 2007；14(1)：63-8.
4) Kattah JC, et al：HINTS to diagnose stroke in the acute vestibular syndrome：three-step bedside oculomotor examination more sensitive than early MRI diffusion-weighted imaging. Stroke. 2009；40(11)：3504-10.
5) Adrion C, et al：Efficacy and safety of betahistine treatment in patients with Meniere's disease：primary results of a long term, multicentre, double blind, randomised, placebo controlled, dose defining trial (BEMED trial). BMJ. 2016；352：h6816.
6) Marill KA, et al：Intravenous Lorazepam versus dimenhydrinate for treatment of vertigo in the emergency department；a randomized clinical trial. Ann Emerg Med. 2000；36 (4)：310-9.
7) Aantaa E, et al：Controlled clinical trial comparing the effect of betahistine hydrochloride and prochlorperazine maleate on patients with Meniére's disease. Ann Clin Res. 1976；8 (4)：284-7.
8) 荻野 仁，他：めまい疾患に対する抗不安薬etizolamの有効性．――二重盲検比較試験による臨床成績．Equilibrium Res. 1990；49：301-11.

Part 2　軽症頭部・頸部外傷CT　いつ撮るの？撮らないの？

Part 2 軽症頭部・頸部外傷CT いつ撮るの？撮らないの？

1 成人頭部外傷のCT適応
―世界のCTルールと日本のCT台数・保険診療の合わせ技で判断する

　Part 2では外傷の神経救急を学びましょう。まずは"非"脳外科医として，次の症例の初期対応を考えてみて下さい。

> **症例1**
> - 40代男性。工事現場作業中にクレーン車の鉄球が振り子状に頭にぶつかった。その後，意識障害があり救急搬送となる。既往は特になし。
> - バイタル：血圧140/80，心拍数90，呼吸数20，体温36.0℃，GCS E1V2M4。

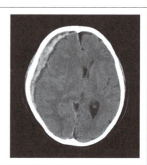

　まさに重症頭部外傷という症例で，緊急手術の適応があり脳外科医へ速やかに連絡を取りつつ，自ら手術の準備の開始が必要です。ゴールがわかっているので，あとは全力疾走するだけ。このような救命センターでよく見る重症症例では，"CTの適応"は「考える暇があれば撮ってしまう」が正解であり，"CTの適応"という点で"非"脳外科医は困りません。
　では，次のような症例での頭部CTの適応はいかがでしょう？

> **症例2**
> - 60歳男性。自動車運転中に車同士，出合いがしらの衝突事故で搬送。救急救命士からは高エネルギーではないと申し送りあり。
> - 本人は「バーンとぶつかって，一瞬なのでよくわからなかった」と言っている。
> - 既往は，「俺は健康だから病院には行っていない」とのこと。
> - バイタル：血圧170/100，心拍数90，呼吸数16，体温36.0℃，GCS 15，JCS 0。
> - primary surveyは問題なし。FAST（focused assessment with sonography for trauma）も陰性。軽度嘔気があるが嘔吐なし。「そういえば右の頭がちょっと痛いな。でも右手が痛い！ ここを診てくれ」。右側頭部に1cm大のこぶがある。右手には挫創がある。

実は"非"脳外科医が困るのは今回のような一見軽症の"CTの適応"です。この市中病院でよく見る症例での頭部"CTの適応"はけっこう困ります。「考えるより撮る」の精神は通用しません。特に小児の場合はなおさらです。

そこでPart 2では「軽症」頭部・頸部外傷の"CTの適応"について考えてみましょう。CTを撮るならなぜ必要なのか，後輩やスタッフ，さらに患者さんへ説明できないといけません。CTを撮らない場合も同様です。ここでPart 2の到達目標を設定します。

> **Part 2の到達目標：軽症頭頸部外傷のCT適応**
> - "とりあえずCT"から脱却する。撮る理由・撮らなくてよい理由を言語化できる。
> - 成人・小児の頭部外傷CT/頸椎外傷CTの適応について，それぞれ言語化できる。

軽症外傷CTのPros & Cons

言語化のために，軽症外傷における頭部CTの長所と短所を考えてみましょう。まず，出血の有無がわかります（長所）。一方で，出血所見がなくても脳震盪やびまん性軸索損傷などCTでは見つけられない頭部外傷もあります（短所）。検査をたくさん行えば若手医師の経験値が増え，臨床力が上がるかもしれません（長所）。しかし，コストの問題や被曝の問題もあります（短所）。図1に，筆者が考える長所と短所を示します。

図1　頭部外傷CTの長所と短所

ガイドラインを見てみよう

　検査に長所と短所がある限り，患者さんごとにその適応は考えるべきです。そこでどのような患者さんに検査の適応があるか，いくつかのガイドラインを見てみましょう。NICE Clinicalガイドライン（表1）[1]，Canadian Head CT rule（CHCR，表2）[2]について，症例2（本項冒頭☞40頁）で当てはまる項目があるか見てみましょう（必ず一度は実際に症例2を担当するつもりで，自分で確認・Clinicalチェックして下さい）。

表1　NICE Clinicalガイドライン（英国）

以下の項目のうち1つでも満たせばCTの適応考慮
- 来院時GCS＜13（または受傷2時間でGCS13，14の場合）
- 開放骨折，陥没骨折疑い，頭蓋底骨折サインあり
- 外傷後痙攣・神経学的局在所見・2回以上の嘔吐
- 30分以上の逆行性健忘
- 意識消失または健忘（30分未満）に加え以下の条件があるとき
　　65歳以上，出血傾向（ワルファリン内服など），高エネルギー*

*人 対 車，車外へ放出，1mまたは階段5段以上からの墜落・転落

（文献1より一部改変）

表2　Canadian Head CT rule：CHCR（カナダ）

以下の項目のうち1つでも満たせばCTの適応考慮
- GCS＜15（受傷2時間後）
- 開放骨折，陥没骨折疑い，頭蓋底骨折疑い
- 2回以上の嘔吐，65歳以上，30分以上の逆行性健忘
- 高エネルギー*

*人 対 車，車外へ放出，1mまたは階段5段以上からの墜落・転落

（文献2より一部改変）

　本例は，NICE Clinicalガイドライン，CHCRともに該当項目がなく，CTの適応はないことになります。

　これらの数多ある，米国・欧州を含めた頭部外傷CTルールを表3[1〜6]に挙げました。これらの微妙に異なるチェックポイントや，どのような項目がセットになっているのかを確認してみて下さい。

表3 世界各国の頭部外傷CTルール

臨床所見	CHCR[2]（カナダ）	NCWFNS[3]	New Orleans[4]（米国）	NEXUS-II[5]（米国）	NICE[1]（英国）	Scandinavian[6]
GCS	<15（2時間後）	<15	<15	いつもと比べて様子がおかしい	<15（2時間後）	<15
健忘	30分以上の逆行性健忘	あり	前行性健忘	—	30分以上の逆行性健忘	あり
骨折の疑い	骨折あり[*1]	骨折あり	鎖骨より上のすべての外傷	骨折あり	骨折あり[*1]	骨折あり[*2]
嘔吐	繰り返す	あり	あり	繰り返す	繰り返す	—
年齢（歳）	≥65	—	>60	≥65	≥65	—
抗凝固薬	—	内服あり	—	内服あり	内服あり	内服あり
局所神経所見	—	あり	—	あり	あり	あり
痙攣	—	病歴	あり	—	あり	あり
一過性意識障害	GCS=14ならば	あり	—	—	—	あり
外傷所見	—	—	鎖骨より上のすべての外傷	頭血腫	—	多発外傷
頭痛	—	あり	激しい	—	—	—
外傷のメカニズム	高エネルギー[*3]	—	—	—	高エネルギー[*3]	—
飲酒・薬物中毒	—	乱用の病歴	薬物，アルコール	—	—	—
脳外科の手術歴	—	あり	—	—	—	シャント手術

NCWFNS：Neurotraumatology Committee of the World Federation of Neurosurgical Societies
NICE：National Institute of Clinical Excelence
[*1] 開放骨折，陥没骨折，頭蓋底骨折
[*2] 頭蓋底骨折，陥没骨折，画像で確認された骨折
[*3] 人対車，車外へ放出，1mまたは階段5段以上からの墜落・転落

（文献1〜6をもとに作成）

これらのルールの利用価値は？

　様々な頭部CTルールを見てきましたが，これらの利用価値はいかほどなのでしょうか？　症例2はNICEガイドラインやCHCRでともに該当項目なしですが，その結果が意味するところは何なのでしょう。

　該当項目がすべてない場合にどれくらい安全に頭部CTをスキップできるかが我々の知りたいところ。表4[1)~6)]の頭部CTルールはtraumatic brain injury（TBI*）をアウトカムに作成されたものです。アウトカムであるTBIの感度について，今回利用した頭部CTルール含め，6種類の頭部CTルールをまとめたので確認して下さい（表4）[1)~6)]。これによると，多くのルールは感度100％に近いものの，どのルールを使っても数％は見逃しが発生してしまうことになります。つまり頭部CTルールにおいて，該当項目がなければ「CTで確認できる頭部外傷は"ほぼない"と言えるが"絶対"ではない」ことになります。

*外傷性脳損傷，外傷性SAH，硬膜外血腫，硬膜下血腫や脳挫傷など，あらゆる外傷性頭蓋内疾患の総称

表4　頭部外傷CTルールの感度

ストラテジー	感度（95%信頼区間）		
	手術が必要なTBI	画像所見はあるが保存的加療となったTBI	いずれかの画像所見あり
CHCR[2)]（カナダ）（ハイリスクのみ）	0.99（0.94～1.00）	0.97（0.94～0.98）	0.97（0.95～0.98）
CHCR[2)]（カナダ）（中間／ハイリスク）	0.99（0.94～1.00）	0.99（0.97～1.00）	0.99（0.98～1.00）
NCWFNS[3)]	0.99（0.94～1.00）	0.95（0.93～0.97）	0.96（0.94～0.97）
New Orleans[4)]（米国）	0.99（0.94～1.00）	0.99（0.97～1.00）	0.99（0.98～1.00）
NEXUS-II[5)]（米国）	1.00（0.97～1.00）	0.97（0.94～0.98）	0.97（0.96～0.98）
NICE[1)]（英国）	0.98（0.93～1.00）	1.00（0.99～1.00）	0.99（0.98～1.00）
Scandinavian[6)]	0.99（0.94～0.99）	0.95（0.92～0.97）	0.96（0.93～0.97）

TBI：traumatic brain injury　　　　　　　　　　　　　　　　　　　（文献1～6をもとに作成）

ガイドラインは誰のもの？

「ちょっと面倒だな」。内心そう思いながらスコアリングすることが誰にでもあります。「感度100％でないならスコアリングはさぼってしまおうか……」そんなやましい気持ちも芽生えるかもしれません。ちまちまスコアリングしている傍らで，ベテランER型救急医がスコアリングせずスピーディーにCTの要否を決めているとき，「先輩はスコアリングしていないじゃないか……」と感じてしまうこともあるでしょう。

それでも，初期研修医やTBIの経験が少ない医師には，まずはこれらのスコアリングをつけ続けることを提案します。なぜならこれら頭部CTルールは，経験値がまだ十分でない医師のためにあると筆者は考えるからです。誰でも，しかも非侵襲的に利用できるこれらのツールは，実はベテラン救急医がいつも確認している項目であったりします。初学者が落としがちな項目をチェックリストで漏れなく確認できるのです。面倒に感じたら電子カルテのひな形にチェックリストを入れておく，アプリをいつでも利用できるようにしておくなど工夫すればよいのです。経験が浅くても「スコアで0点なのでCTを撮らなかった」という会話は上級医とのコミュニケーションにも役立ちます。

そしてスコアリングを繰り返し利用していくと，ある日その限界がわかります。そうなったらベテラン救急医に近づいている証拠。もはやスコアを永久につけ続ける必要はありません。

日本の茶道・武道では「守破離」という言葉があります。まずは型にはめたやり方を「守る」ことから始めます。それによりある程度の技術が身につきます。守り続け，そこからさらに抜きん出るために型を「破る」こと，そして最終的に師匠から「離れ」，達人の域に至るとされます。頭部CTの適応でもまずは型にはめたやり方を「守り」，徐々に「破り」，そして「離れる」ことで，プロフェッショナルに近づくのではないでしょうか？

アウトカムをどこに置くか？

頭部CTルールの使用上の注意がアウトカムのとらえ方にあります。アウトカムは作成された国の医療事情（CT普及率など）を反映します。たとえば「頭部CTで異常があっても，手術に至るほど重症でなければ問題なしとする」というアウトカムはCTへのアクセスが悪い海外では通用しても，CTが簡単に撮れる日本では通用しなさそうです。このようにCT普及率は検査に対する国民の期待度に影響し，結果としてアウトカムにも影響しますので，世界における日本のCTの普及率を確認していきましょう。

日本はCT大国なのか？―世界や米国との比較

　経済協力開発機構(Organization for Economic Co-operation and Development：OECD)の報告によると，日本の「人口当たりのCT台数」は107台/100万人(OECD平均20台/100万人)と世界でもダントツ1位です(図2)[7)～9)]。この事実は患者さんに「よほど小さい病院でなければCTはあって当たり前」という感覚をもたらしています。しかし，実際に「CT撮影回数」が多いかというと，日本は世界第5位で170回/1,000人(OECD平均140回/1,000人)と，際立って多いわけではありません(図3)[7)～9)]。

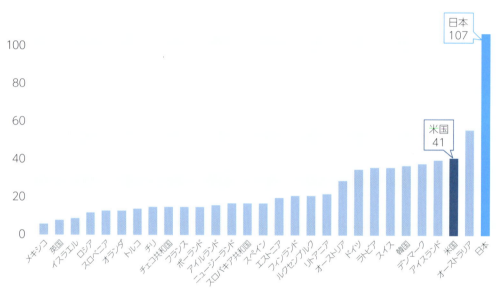

図2 国別CT保有台数(100万人当たり)　　　　　(文献7～9をもとに作成)

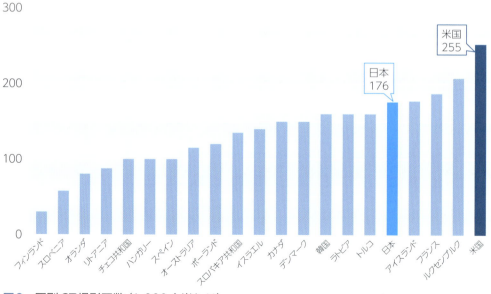

図3 国別CT撮影回数(1,000人当たり)　　　　　(文献7～9をもとに作成)

「CT撮影回数」は米国が1位です。推測ですが，患者さんからの見逃し訴訟に耐えうる客観的な情報を病院や医師が手に入れようとするお国柄が想像されます。国家レベルで医療費を抑えたい米国は，実は相対的に世界で最もCTを利用しています。事実，米国では頭部外傷CTに限らず，何かとCT撮影を減らそうとする臨床研究が盛んです。

choosing wisely

日本は世界一のCT保有国でありながら実施回数が多すぎないということは，世界的に見るととても選択的に検査を実施しているのかもしれません。既に，日本の医師は「必要があれば検査する，必要がなければ検査しない」という習慣があるものと考えます。

「CT台数が世界一で，患者希望もあるのでたくさん撮影してもOK」，「"考えるより撮る"の精神」とささやく声が，CTを撮るべきか迷う医療者に聞こえてきます。「必要ないと思っても検査を要求される医療者は，むしろ被害者」，そんな声も聞こえます。しかしこれらは，ひょっとしたら医療者の思い違いなのかもしれません。

日本のCT台数と実施回数の解釈は，必要なときだけ検査を実施することが日本の医療のスタンダードであることを意味しています。安易にCT撮影を選択することは，日本では御法度です。choosing wisely（賢く選ぶ）が軽症頭部外傷CTの選択では必須なのです。

二元論からの脱却

ガイドラインにある項目を適時確認しつつ，日本というお国柄を含めて患者ごとに総合判断し，CT実施の要否を考えていくことが求められます。「これだけやれば大丈夫」という料理本医療はNGです。同じ軽症頭部外傷の患者さんでも，"撮る/撮らない"の二元論は正解ではありません。感度やCT台数というサイエンスをふまえ，日本という土壌で個別に対応できるアートの側面を意識して，CT実施の要否を考えるのが正解です（図4）。

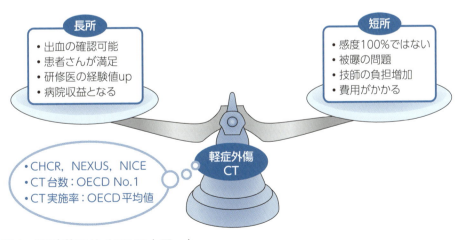

図4 CT実施のサイエンスとアート

> **成人頭部外傷において，CT撮影要否を決めるポイント**
> ☑ 様々なCTルールがあるが，完璧なものは存在しない
> ☑ 一方で，CTルールでは確認すべき項目を初学者へ提言している
> ☑ 日本はCT台数世界一だが，撮影回数は世界平均であり，選択的実施が求められる
> ☑ CTを"撮る/撮らない"の二元論は正解ではなく，CT撮影の要否をよく考えることが正解

　成人頭部CTの適応に関する新たな情報が迷いを生み，むしろ明日からの診療が少し負担になると思います。しかしその負担は，良い医療のために，みなさんに足りなかった部分なのです。

文　献

1) National Collaborating Centre for Acute Care：Head Injury：Triage, assessment, investigation and early management of head injury in infants, children and adults. NICE Clinical Guidelines, No.56. National Institute for Health and Care Excellence (UK), 2007.
2) Stiell IG, et al：The Canadian CT Head Rule for patients with minor head injury. Lancet. 2001；357(9266)：1391-6.
3) Servadei F, et al：Defining acute mild head injury in adults：a proposal based on prognostic factors, diagnosis, and management. J Neurotrauma. 2001；18(7)：657-64.
4) Haydel MJ, et al：Indications for computed tomography in patients with minor head injury. N Engl J Med. 2000；343(2)：100-5.
5) Mower WR, et al：Developing a clinical decision instrument to rule out intracranial injuries in patients with minor head trauma：methodology of the NEXUS II investigation. Ann Emerg Med. 2002；40(5)：505-14.
6) Ingebrigtsen T, et al：Scandinavian guidelines for initial management of minimal, mild, and moderate head injuries. The Scandinavian Neurotrauma Committee. J Trauma. 2000；48(4)：760-6.
7) OECD data：Computed tomography(CT) scanners. In ambulatory care providers/Total/In hospitals, Per 1,000,000 inhabitants, 2014.
[https://data.oecd.org/healtheqt/computed-tomography-ct-scanners.htm]
8) OECD data：Computed tomography(CT) exam
[https://data.oecd.org/healthcare/computed-tomography-ct-exams.htm]
9) 厚生労働省：社会医療診療行為別統計．平成26年社会医療診療行為別調査
[http://www.e-stat.go.jp/SG1/estat/List.do?lid=000001134901]（2015年6月17日）

スコアリングを堂々とカンニングする方法

慣れないスコアリングは研修医にとってストレスです。カナダ頭部CTルール（CHCR）も，NICE Clinicalガイドラインも項目が多いわりに，"語呂合わせもない"ため，暗記することは難しいでしょう。そこで，暗記をせずにスコアリングをカンニングしながら診療する方法を3つ紹介します。

その1　アプリでスコアリング

スマートフォンやタブレットに医療用のアプリを入れておきます。筆者は「MDCalc」を愛用しています。このアプリは2019年12月現在英語版しかありませんが（iOS版，Android版あり），実に様々なスコアが入っているため，それを差し引いても利用価値は高いです。米国救急医学会のセミナーのアプリランキングで1位になったこともある優れものです。一度ダウンロードすればネット環境がなくても使えます。脳卒中以外でも使用頻度が高く，病気に怪我に，使い勝手は大変良いです。

その2　インターネットで検索してみる

ネット環境があれば，「Canadian Head CT rule (CHCR) score」や「NEXUS score」などと検索するとスコアリングがオンラインで実施できる場合があります。やはり英語検索が多いですが，この方法は外傷以外のスコアリングでも無料で利用可能です。

その3　カルテにひな形を作る

ひと手間ですが，スコアリングすべき項目と点数を電子カルテのひな形に作る方法があります。研修医同士でシェアすれば多くのスコアシートが完成しますので，実施する価値はあるでしょう。無料ですが，時々これらのスコアはアップデートされますので，先輩のおさがりのスコアが現状でも利用可能かはチェックするようにしましょう。

Part 2 軽症頭部・頸部外傷CT いつ撮るの？撮らないの？

2 小児頭部外傷のCT適応
―米国発のPECARNを, さらに日本版診療に落とし込む方法

本項では小児の軽症頭部外傷について"CTの適応"を考えてみましょう。

> **症例**
> ・（ ① ）歳男児。
> ・主訴：遊んでいて頭部をぶつけ, 両親と一緒に来院した。
> （ ② ）あり, （ ③ ）が外傷の原因で……
> ・既往：……
> ・身体所見：（ ④ ）

上記の①～④にどのような項目があればCTを撮るか（または撮らないか）を考えて頂くために, 穴埋めを作りました。実臨床でどのような問診や身体所見を取りCTの是非を決めているか, 考えてみて下さい（1分でよいので必ず一度考えてみて下さい）。

軽症外傷CTのPros & Cons

頭部CTの適応は大人と子どもで違うのでしょうか？ 確認のために成人で利用した頭部CTルールを小児に当てはめてみます（**表1**）。

このうち小児でも使える項目には○をつけ, 逆に使いにくい項目には△をつけました。「○：外傷のエピソード」,「○：嘔吐の有無」などは成人同様に確認すべき所見でしょう。一方で,「△：意識の評価」や「△：健忘の有無」などは小児での確認は難しく, 特に乳幼児ではまず判断できません。「△：中毒」や「△：薬剤歴」もないことが多く, これらはチェックリストとしてはあまり適切ではないでしょう。

頭部CTルールの限界

成人頭部外傷で使用したCTルールを小児で代用することは困難です。理由は, これらの頭部CTルールの患者対象群に小児がほぼ入っていないためです。NICEガイドラインとNEXUS-Ⅱには2歳未満の小児が含まれず, CHCRでは小児自体が含まれていません。
そこで米国研究チームが小児外傷の画像適応のためのプロジェクトとしてThe Pediatric Emergency Care Applied Research Network（PECARN）を立ち上げま

表1 成人の頭部CTルールの小児への適用

	臨床所見	CHCR[2]（カナダ）	NCWFNS[3]	New Orleans[4]（米国）	NEXUS-II[5]（米国）	NICE[1]（英国）	Scandinavian[6]
△	GCS	<15（2時間後）	<15	<15	いつもと比べて様子がおかしい	<15（2時間後）	<15
△	健忘	30分以上の逆行性健忘	あり	前行性健忘	—	30分以上の逆行性健忘	あり
○	骨折の疑い	骨折あり[*1]	骨折あり	鎖骨より上のすべての外傷	骨折あり	骨折あり[*1]	骨折あり[*2]
○	嘔吐	繰り返す	あり	あり	繰り返す	繰り返す	—
△	年齢（歳）	≧65	—	>60	≧65	≧65	—
○	抗凝固薬	—	内服あり	—	内服あり	内服あり	内服あり
△	局所神経所見	—	あり	—	あり	あり	あり
○	痙攣	—	病歴	—	—	あり	あり
△	一過性意識障害	GCS=14ならば	あり	—	—	—	—
○	外傷所見	—	—	鎖骨より上のすべての外傷	頭血腫	—	多発外傷
△	頭痛	—	あり	激しい	—	—	—
○	外傷のメカニズム	高エネルギー[*3]	—	—	—	高エネルギー[*3]	—
△	飲酒・薬物中毒	—	乱用の病歴	薬物，アルコール	—	—	—
○	脳外科の手術歴	—	あり	—	—	—	シャント手術

NCWFNS：Neurotraumatology Committee of the World Federation of Neurosurgical Societies
NICE：National Institute of Clinical Excellence
[*1] 開放骨折，陥没骨折，頭蓋底骨折
[*2] 頭蓋底骨折，陥没骨折，画像で確認された骨折
[*3] 人対車，車外へ放出，1mまたは階段5段以上からの墜落・転落

（☞ Part2-① 43頁，表3に加筆し，再掲載）

した。彼らはこのデータベース（なんと約4万人の小児頭部外傷を含む！）から軽症小児頭部外傷のルールを作成し報告しました（表2）[1]。

ルールのアウトカムはTBIであり該当する項目がすべてないときはほぼ100％の感度を誇ります。このルールはベッドサイドで大変有用で，安全にCTを撮らずに経過観察することも可能なので是非利用して下さい。これらの項目で最も覚えて頂きたいのが，転落外傷で基準となる高さ（2歳以上＞150cm，2歳未満＞90cm）です。小児頭部外傷で最も多い受傷機転は転落外傷であり，この数字は使用頻度が高いため覚えてしまって下さい。

表2 PECARN（小児）頭部外傷ルール

1. 病歴
   - 高エネルギー外傷
     ① 交通外傷で車外放出，車が横転，同乗者死亡
     ② 転落（2歳以上＞150cm，2歳未満＞90cmの高さからの転落）
     ③ 歩行者や自転車 vs 自動車
     ④ 速度の速い物体の頭への衝突
   - 嘔吐が1回でもある（16歳以上は2回以上）
   - 精神状態の変化がある
     （興奮，眠気，何度も同じことを聞く，返答や会話が遅い）
   - 一過性意識障害（LOC）あり（2歳未満は5秒以上，2歳以上は時間関係なし）
2. 身体所見
   - GCS＜13
   - 身体観察で頭蓋底骨折を疑う
     （パンダの目，Battleサイン，鼓膜内出血，髄液漏）

＋

2歳未満	2歳以上
・前頭部以外の頭部血腫 ・保護者の「いつもと違う」という訴え	強い頭痛

これらすべてがなければ

2歳未満：100％ NPV for CI TBI and all TBI
2歳以上：99.9％ NPV for CI TBI and 98.4％ for all TBI

GCS：グラスゴーコーマスケール，NPV：陰性尤度比，CI TBI：手術を要する頭部外傷，all TBI：画像所見陽性の頭部外傷　　　　　　　　　　　　　　　　　　　　　　（文献1をもとに作成）

この頭部CTルールは大変便利なのですが，最大の難点は"嘔吐は1回でもCTの適応考慮"という点です。そこで，小児頭部外傷における嘔吐をどう評価するかについてさらに詳しく見ていきましょう。

嘔吐の問題を考える

　嘔吐は，小児軽症頭部外傷の13.2～15.8％に伴うとされ，大変多い症状です[2)3)]。PECARN（小児）頭部外傷ルールを用いると6例に1例は嘔吐にチェックが入るため，その全例で検査実施というのはCTを撮りすぎてしまいます。

　もちろん小児頭部外傷において嘔吐は重要なリスクファクターであり，安易に無視できないことは事実ですが[4)～7)]，嘔吐患児を全例CT適応とするのは過剰検査となるジレンマが臨床医に立ちはだかります。

　これに対しDayanらはPECARN（小児）頭部外傷ルールのデータを嘔吐の視点で調査し[3)]，嘔吐のみで頭部CTで異常が出る可能性は0.6％（815人中5人）と報告，さらにこの5人はすべて保存的に軽快し，手術に至った症例はなかったと発表しています。そして，もし嘔吐だけの場合は救急外来で数時間ほど経過観察し，意識状態などPECARN（小児）頭部外傷ルールの項目の出現がなければCTを実施せず帰宅させることを推奨しました。また2014年版のNICEガイドライン[8)]も，嘔吐のみの場合は4時間経過観察し，新たな所見がなければCTは必要なしと変更されました。嘔吐だけなら経過観察していこうというのが現在のスタンダードな診療になってきています。

　そうは言っても，日本は世界1位のCT保有国です。世界基準の診療とはいえ，すぐ隣にCT室があるのに，頭をぶつけ嘔吐するわが子を抱えながら検査せずに待つ親の気持ちは大変辛いはずです。このとき我々臨床医は，小児でCTを安易に撮ることのデメリットを両親へ伝える義務があります。その最大の"デメリット"が被曝の問題です。そこで小児頭部外傷における被曝の説明をキチンとできるようになるために必要なポイントを確認していきましょう。

小児頭部CTの被曝の影響とは？

　小児の頭部CTの被曝量は2mSvで，日本人が1年間に受ける自然放射線被曝（2.4mSV）に匹敵する量です。これらの被曝の臨床的な影響として，Hallらは生後18カ月以内に全身の様々な部位の血管腫の治療として低線量放射線照射を受けた男児において，高校進学率と認知テストに有意差があったと報告し，放射線被曝が高次脳機能障害の原因になると報告しています[9)]。

　別の研究では放射線の発癌リスクについて，頭部CT検査を2～3回分受けることに相当する線量で脳腫瘍のリスクが3倍，5～10回分で白血病のリスクが3倍程度に増加するとしています。これは1万人に頭部CT検査を実施すると1人の癌死をもたらすとしていますが，これらの癌は比較的稀で，累積的絶対リスクは小さいという指摘もあります[10)11)]。

どのように保護者へ説明するか

　問題はこれらのデメリットをいかに保護者に伝えるかです。東日本大震災以降，日本国民は"放射線"という言葉に恐怖を覚えています。見えない"放射線"だけにイメージできていないことも恐怖の原因でしょう。「見えない→わからない→怖い」という思考過程があるのです。医療者は子どもが受けるCTによる放射線が具体的に何をもたらすかをわかりやすい方法で保護者に伝える必要があります。そこで実際に筆者がどのように説明しているかを以下に記載します。もし頭部外傷でPECARN（小児）頭部外傷ルールの項目にすべて該当しない，あるいは嘔吐だけ当てはまる場合は，以下のように説明してCTを撮るかどうかを一緒に決めています。

　まず，お子さんが頭をぶつけてとても心配されたと思います。ご両親の心配と同じように，我々もお子さんの頭の怪我が入院したり手術したりするような怪我でないかを心配しています。そのために外から見えない頭蓋骨の中の怪我を，CTという検査で輪切りの写真をつくり，評価することは可能です。

　ただCTは"放射線"を使うので特に小さいお子さんには副作用があります。具体的には，稀な病気ですがお子さんの珍しい癌の可能性を少し増やす，脳の発達に影響するなどという報告もあります。わずかでも副作用があるので，もし検査なしでやり過ごしてよいのであれば，我々はそうしたいのです。

　そこで，本当に検査なしでも大丈夫なのか，お話を聞いたり診察させて頂いたりして危険な要素がないかチェックしました。

　〔PECARN（小児）頭部外傷ルールを見て〕よかったですね。これらのチェックリストに該当する項目は1つもありませんでした。

　もちろんご両親が心配されているのは事実で，我々と違う観点で心配する点はあるでしょうが，医療者から見て心配な項目はありませんので，まずは検査なしで経過を見てはいかがでしょう？　もちろんあとで心配になって検査をしたくなったり，または帰宅してから不安なことがあったりした場合には，いつでも電話や受診をして下さい。あとから必要が出てくれば我々の病院で責任を持って検査・治療をいたします。またどうしても今すぐ決められないのであれば，お子さんの様子を見ながら少し考えて決めて頂いても結構ですよ。

　保護者と話をするときは可能な限り向かい合わせでなく，隣り合って肩を並べ，お子さんを一緒に見るようにしています。両親がどんな気持ちかイメージしながら真摯に話すことが大切です。

> **小児頭部外傷におけるCTのポイント**
> - ☑ NICEガイドラインやCHCRは小児では使わない。PECARN（小児）頭部外傷ルールを使うこと
> - ☑ 嘔吐だけであればすぐにCTを撮らず経過観察とし，新たな症状が出なければ帰宅を考慮
> - ☑ CTによる放射線被曝について両親へ適切に説明できることが必要
> - ☑ 説明の際には科学的な事実を冷静に伝えるのでなく，両親の気持ちになって一緒に患児の心配をする寄り添いの気持ちが大切

さて，もしPECARN（小児）頭部外傷ルールでリスクが高く，頭部CTを撮って画像での異常が何もなければどうしましょうか？ 診断は脳震盪ですか？ その後の対応はどうしますか？ そこで次項では，知っているようで意外と知らない"脳震盪"の診断と対応について解説します。

文献

1) Kuppermann N, et al:Identification of children at very low risk of clinically-important brain injuries after head trauma:a prospective cohort study. Lancet. 2009;374 (9696):1160-70.
2) Da Dalt L, et al:Characteristics of children with vomiting after minor head trauma:a case-control study. J Pediatr. 2007;150(3):274-8.
3) Dayan PS, et al:Association of traumatic brain injuries with vomiting in children with blunt head trauma. Ann Emerg Med. 2014;63(6):657-65.
4) National Institute for Health and Care Excellence:Head injury:Triage, assessment, investigation and early management of head injury in infants, children and adults. Clinical guideline (CG56). 2007.
5) Stiell IG, et al:The Canadian CT Head Rule for patients with minor head injury. Lancet. 2001;357(9266):1391-6.
6) Servadei F, et al:Defining acute mild head injury in adults:a proposal based on prognostic factors, diagnosis, and management. J Neurotrauma. 2001;18(7):657-64.
7) Haydel MJ, et al:Indications for computed tomography in patients with minor head injury. N Engl J Med. 2000;343(2):100-5.
8) National Institute for Health and Care Excellence:Head injury:triage, assessment, investigation and early management of head injury in children, young people and adults CG 176 (Partial update of NICE CG56). 2014.
9) Hall P, et al:Effect of low doses of ionising radiation in infancy on cognitive function in adulthood:Swedish population based cohort study. BMJ. 2004;328(7430):19.
10) Pearce MS, et al:Radiation exposure from CT scans in childhood and subsequent risk of leukaemia and brain tumours:a retrospective cohort study. Lancet. 2012;380(9840):499-505.
11) Mathews JD, et al:Cancer risk in 680,000 people exposed to computed tomography scans in childhood or adolescence:data linkage study of 11 million Australians. BMJ. 2013;346:f2360.

3 誰も教えてくれなかった脳震盪診療
―集まりつつあるエビデンスをもとに具体的なアドバイスを提示

知っているようで，意外と知らないことが多いのが脳震盪です。そこで理解度を確認するクイズを出します。次の2つの症例で脳震盪の可能性があるのはどちらでしょうか？

> **症例1**
> 16歳男性。ラグビーの試合で頭をぶつけ，その後1分ほど意識消失した。目覚めた直後は試合に出ていることもわからず病院へ搬送。頭部CT撮影となった。

> **症例2**
> 18歳女性。来院前日，自動車運転中に追突事故にあった。激しい振動はあったが，身体はどこもぶつけておらず，一過性意識障害(loss of consciousness：LOC)や健忘はない。来院日に頭痛やめまいがあり，受診したが頭部CTは正常だった。

頭部外傷なし，LOCなしなら脳震盪とは言わない!?

脳震盪といえば症例1のように，「頭を強くぶつけたあと，LOCや健忘症状があり，しかし画像で異常なし」というイメージが強いと思います。ところが症例2のように直接頭部外傷もなく，LOCがなくても脳震盪を疑わなければなりません。クイズの答えは「両方の症例とも脳震盪の可能性あり」なのです。

concussion（脳震盪）の語源はラテン語のconcutereで，これは英語のviolently shakeに当たります。つまり，頭部に直接衝撃がなくても，脳を激しく揺らす力が加わればそれで十分脳震盪の病歴なのです。スポーツで強くタックルを受けた，交通事故で急ブレーキがかかったなど，直接でなく間接的に脳が揺さぶられれば脳震盪のエピソードとして対応しましょう（図1）。また脳震盪症状の多くは頭痛（93％），めまい（75％）であり，

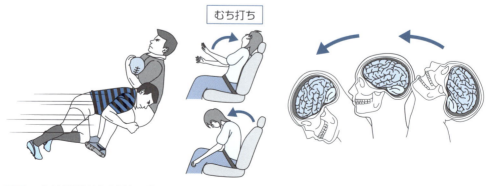

図1 直接頭部外傷以外の脳震盪のしくみ

健忘（24％）やLOC（5％）はむしろ少ない症状です（表1）[1]。

症例2の①間接的外力の病歴，②LOCなし，の2点は，脳震盪を除外する項目ではありません。症例1のようにタックルを受けて肩から倒れたラグビー選手が，ハーフタイムに強い頭痛とめまいを訴えれば脳震盪疑いで後半の試合参加中止を検討しなければなりません。

表1 脳震盪で認める頻度の高い症状

症　状	頻度（％）	症　状	頻度（％）
頭痛	93	嘔気	29
めまい	75	眠気	27
集中力の低下	57	健忘	24
錯乱，見当識障害，ふらつき	46	大きな音に敏感	19
視覚問題・羞明	38	LOC	5

（文献1より改変引用）

脳震盪の診断を記載する？

病歴と身体所見の次は脳震盪の診断と病状説明について考えてみましょう。実は脳震盪の診断・病状説明は臨床では容易ですが，記載となるとけっこう難しいのです。たとえば上述した症例1はCTで異常がなければ脳震盪と診断でき，「画像で異常がないので，意識障害は脳震盪が原因ですね」と説明すれば患者・家族には理解してもらえます。脳震盪という言葉自体が非医療者にも理解できる医学用語なので，"頭部外傷の症状あり→画像所見なし→脳震盪"という説明で納得されます。一方で医学的に脳震盪の診断を文字にすると，以下のように複雑になってしまいます。

①頭部・顔・頸部・その他の部位への直接的／間接的衝撃が加わり頭蓋内に急速回転運動が起こることによる，脳の一過性の機能障害である。

②症状は，ベースラインから急激な変化をきたし，一般的には頭痛，めまい，平衡障害，時には健忘やLOCをきたす。

③画像上の解剖学的異常を認めない。

①②の解説は既にしましたが，③の画像で異常を認めなくても症状が起こる病態生理を確認しましょう。まず脳震盪というのは，脳の一部から出血が起きたり，脳細胞が死亡したりという状態ではありません。解剖学的・構造的な怪我ではなく，代謝的・機能的な障害をもたらす怪我です。その機序は，脳内のコミュニケーションの役割を果たす神経細胞・axon（軸索）の一部が引っ張られたりして，様々な化学物質が放出されて脳内代謝のバランスが崩れ，脳内機能が円滑に行われないために，頭痛・めまいといった一連の症状を引き起こすとされます。

外力が原因ですが、解剖学的・構造的でなく代謝的・機能的な怪我というのは、通常の外傷評価のCT/MRIでは異常はなく、特殊なfunctional MRI*という検査で異常が出ることにより証明されます。

このように脳震盪の診断・病状説明は臨床では容易ですが、記載となると難しいのです。わが国のガイドラインでも「脳震盪に対する明らかに有効な他覚的診断方法はない（グレードB）」と記載されています[2]。あえて難解な長い説明で煙に巻くつもりはなく、ベッドサイドではシンプルな脳震盪のマネジメントでも、一度は病態生理を確認して頂きたく、詳細を記載しました。

*患者に計算をさせたり、動画を見せたりしてMRIで脳活動を評価する方法

問題は画像を撮るかどうか

繰り返しますが、実臨床では画像検査で何らかの"器質的異常"があれば脳震盪という病名にはなりません。たとえばCTでわずかでも血腫があれば「外傷性くも膜下出血」、あるいはMRIで微細な所見でも「脳挫傷」といった具合です。CT/MRIでまったく異常なしのときに「脳震盪」と言い切ることができます。

「そんなの当たり前……」という声も聞こえてきそうですが、この点がときどきトラブルの原因となるので留意して下さい。たとえば初回CTで異常がなく、頭部外傷後の頭痛や嘔吐症状を「脳震盪」として帰宅させた場合です。しかし後日、症状が遷延するため脳外科を再診。そこで実施したMRIでわずかに「脳挫傷」が見つかった折には、「初診医が見逃した」と家族の不信感を買うことは稀ではありません。同様に、小児頭部外傷ルールに従いCTなしで帰宅した患児が、翌日に父親に連れられ脳外科を再診、CTでわずかに外傷所見があればトラブルとなる可能性はあります。トラブル回避のためには、CT/MRIを実施していない時点では「脳震盪"疑い"」とし、暫定診断であることを患者家族に理解してもらう必要があります。

ところで、脳外科へ再受診となった場合、たとえ小児でも建前上CTを撮る専門医が多いです。しかし、再診時のCTで異常がなければ、初回CTなしでやり過ごしたのに患児は被曝してしまったことになります。画像がないと確定診断できない脳震盪ですが、診断のためにCTを撮ってはならないことはガイドラインでも明記されています。画像に関するこの逆説的な問題が、脳震盪診療には常に立ちはだかるのです。

臨床医はこの現実を受け止め、検査によりどうアクションが変わるか（アクションを変えない検査なら、そもそも実施する必要がない）という基本を強く意識すべきです。検査のメリット/デメリットを症例ごとに考え、患者・家族に確実に理解してもらうことが初診医には求められているのです。特に小児頭部外傷ではなおさらです。

脳震盪のフォローアップはどうする？

　一般的に脳震盪は平均7〜10日で症状軽快し，80％は3週間以内に改善します．ただし80％は翌日から症状が出現するため，初診で症状がなくても脳震盪が起こりうるエピソードがあったら，前もって説明しておく必要があります．多くの病院では頭部外傷があれば帰宅時に注意書き書類を渡すなどして対応していますが，直接頭部外傷だけでなく間接的外力の場合も脳震盪予備群として対応したほうがよいかもしれません．

　一方で，既に脳震盪の診断がついているときのフォローアップはどうすればよいでしょうか？　脳震盪の場合は繰り返すと予後が悪いという問題があります．Guskiewiczらは3回以上の脳震盪は意識混濁も5倍出やすく，記銘力障害も3倍出やすいと報告しています[3]．非常に稀ですが，最重症例はsecond impact syndrome（SIS）と呼ばれ，2回目以降の脳震盪は重篤な神経後遺症や生命を脅かす病態です．そのため脳震盪の再発はできるだけ避けたいものです．

　そこで予防のために，脳震盪を起こしやすいスポーツを確認してみましょう．Pfisterらは，リスクの高いスポーツとして1位ラグビー，2位ホッケー，3位アメリカンフット

> ### Column：競技場（フィールド）での脳震盪診断
>
> 　スポーツ関連脳震盪は，プレホスピタルの画像診断ができない環境で暫定診断や評価・対応をしなくてはなりません．そのためにPCSS-GSC，SAC，BESS，SOT，SCAT5といった様々なチェックリストやスコアが開発されました（表2）[4]．これらは比較的特異度が高いものが多いので，テスト陽性の際には脳震盪の診断で競技中止を検討しなければなりません．なお，筆者や多くの脳外科医は院内でこれらのリストは使いません．その理由は，これらツールの使用場面はあくまでフィールドにあり，コーチやスポーツドクターが競技場や医務室で用いるという位置づけのためです．なお，SCAT5はインターネットで公開されているので，一度利用してみて下さい[5]．結構なボリュームですが……．
>
> **表2　脳震盪の疑いがある患者の有効診断法**
>
> | | 感度（％） | 特異度（％） |
> |---|---|---|
> | PCSS-GSC | 64〜89 | 91〜100 |
> | SAC | 80〜94 | 76〜91 |
> | BESS | 34〜64 | 91 |
> | SOT | 48〜61 | 85〜90 |
>
> post-concussion symptom scale (PCSS), graded symptom checklist (GSC), standardized assessment of concussion (SAC), balance error scoring system (BESS), sensory organization test (SOT)
>
> （文献4より改変引用）

ボールを挙げており（1,000人当たりの事故率はそれぞれ4.18, 1.20, 0.53）[6]，日本では柔道がこれに加わります[7]。これらのスポーツによる脳震盪で来院した場合は再発リスクが高いため競技復帰のタイミングには慎重になるべきです。

運動の再開のタイミングはどうするか？

スポーツ関連脳震盪では競技者は早く運動に参加したい（コーチはさせたい）一方で，時期尚早な復帰は後遺症を長引かせ，長期的には競技のパフォーマンスが下がるといったジレンマがあります。

この臨床的問題のひとつの答えをAmerican Academy of Neurology（AAN）が1997年のガイドラインで発表し，脳震盪の初回症状によりグレード分類して段階的に競技へ戻る方針を提唱しました（表3）[4)8)9]。最初の症状次第で，最軽症であればすぐに競技復帰できますが，最重症であれば1シーズン競技中止と，かなり幅があります。すぐに復帰は本当にOKなのか，あるいは1シーズンの中止が本当に必要か，など議論がある上に，実はあまりエビデンスがないという問題がありました。

その後，2013年に，多くのエビデンスを集約してAANが新しい脳震盪ガイドラインを提言しました[4]。最大の変更点は「脳震盪が疑われる選手は，直ちに競技参加中止」という点です。さらに2013年版は1997年版にあったグレード分類は完全に消え，脳震盪症状から個々の選手の容態に応じた評価を行うことが強調されました。つまりは最初にLOCがなくても頭痛やめまいが続くのであれば競技復帰には慎重になり，一方で健忘があっても1週間後に無症状の場合は競技再開を検討といった具合です。これらの対応や判断についてはlicensed health care provider（LHCP）と呼ばれる"専門的訓練を受けた有資格の医療従事者"による評価を重要視しています。競技への参加は必ずLHCPの監視下で急性期症状が消失してから徐々に再開することが提唱されました。

また段階的な運動開始を推奨し，最初はジョギングなど頭をぶつけるリスクの少ない運動ならば可能であるとしています。一方で運動開始前の完全な安静（たとえば1週間ほど運動はまったく行わないなど）については文献的根拠がないとしていました。

特に学生では脳震盪症状があっても安静は24〜48時間以内にとどめ，徐々にでも早い段階で学校生活に戻ることが推奨されます[9]。

安静にしすぎるのはよくない！？

ガイドラインの発表後Thomasら[10]は11〜22歳の88人の脳震盪患者に対して，5日間厳しい運動制限をした場合と，通常通り1〜2日の安静後，徐々に日常生活に戻った場合の神経機能について報告しました。結果は両群に違いはみられず，10日後までに現れた症状は厳しい運動制限のグループでむしろ多かったとしています。

表3　AANガイドラインの変化

AANガイドライン (1997)　　　　　　　　　　　　　　こちらはもう使わない！

- Grade (G) 1：意識障害なし。一時的に混乱（＜15分）
- G2：意識障害なし。一時的に混乱（≧15分）
- G3：意識障害あり

G1×1	同日運動再開
G1×＞複数，G2×1，G3で数秒	1週間休む
G2×＞複数，G3で数分	2週間休む
G3が複数	1カ月間休む
G3で画像上所見あり	1年間（1シーズン）休む

AANガイドライン (2013)　　　　　　　　　　　　　　こちらを使用！

1. リスクを増減させる因子
   - ラグビー，アメフトが高リスク（女性ではサッカーやバスケットボール）
   - ラグビーのヘッドギアは保護効果あり（マウスピースは効果不明）
   - 年齢や競技レベルについての違いは不明
2. 診断ツール
   - 脳震盪の疑いがある競技者の脳震盪の同定や，重症度評価，長期障害のリスク評価として非医療者でも利用可能な各種診断ツールが有用
3. 臨床学的予測因子
   - 最初の脳震盪から10日間は脳震盪を繰り返すリスクが高い
   - 脳震盪の既往は，症状と認知障害の重症度や症状継続と関連
   - 脳震盪の既往は，アルツハイマー病のリスク因子
4. 治療介入
   - 脳震盪からの回復を促進する治療に関しては結論が出ていない
   - 再発リスクを減らしたり，後遺症を軽減させる介入も結論が出ていない

脳震盪疑いのある選手（病院前対応）
- コーチは選手をすぐに競技から外す
- 経験豊富なLHCPが評価するまで競技に復帰させてはいけない

脳震盪と診断された選手（来院後の対応）
- 競技復帰はLHCPが脳震盪がなくなったと判断を下したとき，またはoff medication（薬剤服用がない）状態で症状が完全に消失した場合
- 高校生未満の場合は症状が遷延するので慎重になること
- 運動再開は段階的に（完全な安静が有益かは不明）

LHCP：licensed health care provider　　　　　　　　　　（文献4, 8, 9より引用）

　Groolら[11]は救急の急性脳震盪小児患者（5～17歳，2,413人）の前向き研究から，受傷後7日以内に身体活動を行っていた患児のほうが，絶対安静の患児より28日時点での持続的な脳震盪後症候群（post-concussion syndrome：PCS）の症状が少なかったと報告しており（24.6％ vs 43.5％），あまり安静にしすぎるよりも少し運動をしたほうが予後は良さそうなデータが出てきています[12]。

どのような場合に脳震盪は遷延するか？

　どのような患者で脳震盪が遷延してフォローアップが必要になるかがわかれば，リスクの高い患者には慎重に対応することができます。

　そこでクイズです。脳震盪のリスクが高いのは，以下のどちらか考えてみて下さい。

> **症例3**
> 6歳男児，階段から転落した。受傷後に頻回嘔吐，意識障害とLOCがあり，CTを実施したが陰性。

> **症例4**
> 16歳女性。チアリーディングで転落した。意識障害・LOCなどはまったくない。頭痛と倦怠感があり，家族と学校の強い希望でCTを実施したが陰性。

　Zemekら[13)]は，脳震盪の小児で症状が遷延し脳震盪後症候群になるリスクスコアを報告しました（**表4**）。簡単な病歴と身体所見8項目から，将来的な脳震盪後症候群のリスクが予測できます。今回の症例をこのスコアに当てはめてみましょう。すると**症例4**でスコアが高く，クイズの答えは「症例4のほうでリスクが高い」となります。

　興味深いことに，外来受診時の意識障害やLOCはリスク項目とはならず，むしろ性別や年齢，片頭痛の既往など外傷症状や受傷起点とは別の患者背景が脳震盪後症候群と関連しているようです。

　さて，症例3は脳震盪後症候群のリスクが低く，フォローアップは最低限でよさそうですが，以下のような状況が起こった場合の対応はどうしましょう？

> **症例3**
> 6歳男児，階段から転落した。受傷後に頻回嘔吐，意識障害とLOCがあり，CTを実施したが陰性。脳震盪後症候群リスクも低く，帰宅・経過観察で特に再診なしと医師は考えたが，両親は嘔吐が心配で入院を希望している。

表4 遷延性脳震盪のリスク評価

年　齢	8〜12歳	1点
	13〜17歳	2点
性　別	女性	2点
既　往	脳震盪の病歴（1週間以上継続）	1点
	片頭痛の病歴	1点
身体所見	バランステスト陽性	1点
	頭痛	1点
	騒音に敏感である	1点
	倦怠感	2点

PPCSリスクカテゴリー	リスクポイント合計数	PPCSリスク合計（95％信頼区間）
低リスク	0	4.1 (2.4-6.7)
	1	5.8 (3.9-9.5)
	2	8.3 (6.0-13.2)
	3	11.8 (8.5-17.8)
中間リスク	4	16.4 (11.9-22.4)
	5	22.3 (16.7-29.7)
	6	29.7 (22.7-37.9)
	7	38.2 (30.1-46.9)
	8	47.6 (38.9-57.1)
高リスク	9	57.1 (48.2-65.6)
	10	66.1 (57.2-74.4)
	11	74.1 (65.8-81.5)
	12	80.8 (74.6-88.3)

（文献13より引用）

脳震盪は入院が必要か？

　CTで異常がなくても，ふらつきや嘔吐が数回あれば入院を希望する保護者は多いです。しかし実際に入院をしても特別な治療をすることは稀であるため，入院適応は低そうですが，実際はどうなのでしょうか．Holmesら[14)]は18歳未満のGCS 14〜15の小児13,543人（2歳以下は2,724人で全体の20％）において，初回CTが正常であった患者群の経過を報告しています．結果は経過中に何らかの症状があった患者で画像を再検査したところ，異常が見つかるのは1％未満で，そのうち治療介入が必要な患者は0人でした．この事実から，「GCS 14〜15で初回CTが正常であれば帰宅経過観察可能」と結論づけています．

　筆者は脳震盪で保護者が入院を希望している場合は，まずその不安の詳細をしっかり傾聴し，その上で，患児が悪くなって手術することはないことを伝えています．社会的入院の要素が強く，医療費だけでなく患児のストレスなどのデメリットがあることも伝えます．かといってあまり帰宅を強く勧めるのではなく，事実をありのまま正直に話し，一方で保護者の不安がどこにあり，その解決が本当に入院にあるのかを再度検討しています．入院・帰宅どちらが正解というわけではなく，医師と家族・本人が入院や帰宅の意義をしっかり理解・同意して決定することが大切です．

> **脳震盪診療のポイント**
> ☑ 間接的外力の脳震盪，LOC，健忘のない脳震盪を見逃さない
> ☑ 画像所見がないことが脳震盪の条件であるが，診断のための画像は撮らない
> ☑ 脳震盪症状があれば競技中止し，LHCPにフォローしてもらうこと
> ☑ 症状遷延，脳震盪になりやすい患者さんを把握できること
> ☑ 小児脳震盪の入院を希望する両親の不安を受け止め，解決できること

最後に，筆者の利用する帰宅時ハンドアウトを参考までに掲載します（次頁）。

文 献

1) Meehan WP 3rd, et al:High school concussions in the 2008-2009 academic year:mechanism, symptoms, and management. Am J Sports Med. 2010;38(12):2405-9.
2) 頭部外傷治療・管理のガイドライン作成委員会，編:頭部外傷治療・管理のガイドライン．第4版．日本脳神経外科学会，他監．医学書院，2019, p193.
3) Guskiewicz KM, et al:Cumulative effects associated with recurrent concussion in collegiate football players:the NCAA Concussion Study. JAMA. 2003;290(19):2549-55.
4) Giza CC, et al:Summary of evidence-based guideline update:evaluation and management of concussion in sports:report of the Guideline Development Subcommittee of the American Academy of Neurology. Neurology. 2013 ;80(24):2250-7.
5) THE CONCUSSION IN SPORT GROUP:SCAT-5.
[http://www.sportphysio.ca/wp-content/uploads/SCAT-5.pdf]
6) Pfister T, et al:The incidence of concussion in youth sports:a systematic review and meta-analysis. Br J Sports Med. 2016;50(5):292-7.
7) 宮崎誠司:スポーツ現場における脳震盪の頻度と対応 柔道．臨スポーツ医．2010;27(3):303-8.
8) American Academy of Neurology:Practice Parameter:the management of concussion in sports (summary statement). Report of the Quality Standards Subcommittee. Neurology. 1997;48(3):581-5.
9) Kirelik SB:Concussion in the emergency department:a review of current guidelines. Emerg Med Pract. 2019;21(Suppl 9):1-29.
10) Thomas DG, et al:Benefits of strict rest after acute concussion:a randomized controlled trial. Pediatrics. 2015;135(2):213-23.
11) Grool AM, et al:Association between early participation in physical activity following acute concussion and persistent postconcussive symptoms in children and adolescents. JAMA. 2016;316(23):2504-14.
12) Varner CE, et al:Cognitive Rest and Graduated Return to Usual Activities Versus Usual Care for Mild Traumatic Brain Injury:A Randomized Controlled Trial of Emergency Department Discharge Instructions. Acad Emerg Med. 2017;24(1):75-82.
13) Zemek R, et al:Clinical risk score for persistent postconcussion symptoms among children with acute concussion in the ED. JAMA. 2016;315(10):1014-25.
14) Holmes JF, et al:Do children with blunt head trauma and normal cranial computed tomography scan results require hospitalization for neurologic observation? Ann Emerg Med. 2011;58(4):315-22.

頭をぶつけた患者さんへ（このお手紙は必ず医師と読み合わせをして下さい）

1. 中学生以下のお子さんとそのご両親へ

　当院では頭をぶつけたときにチェックリストを用いて，CT画像の必要性を判断しております．このチェックリストは世界基準のリストであり，医師の経験や知識によらずCTの必要性が判断できる信頼のおけるリストです．

　もしチェックリストでCTが不要と判断されても，医師と相談の上で検査することもできますので，希望の際は帰宅後でも申し出て下さい．

　一方で，CTは放射線を使う検査であり，特に小さいお子さんには稀な癌のリスクを増やす，脳の発達に影響するなどの報告もあります．わずかですが副作用のある検査のため，当院では両親とよく相談して実施するようにしています．

　頭部をぶつけたあとの嘔吐は大変よくある症状です．症状が嘔吐だけであれば，入院や治療が必要なことはほとんどありません．

2. 運動をしている患者さんへ

　頭を強くぶつけなくても，強く頭を揺さぶられる怪我の場合でも脳震盪を起こすことがあります．怪我や事故のあとに，頭痛，めまい，嘔吐，ふらつきが続く場合は脳震盪の症状の可能性があるため医療機関を受診して下さい．脳震盪を繰り返すと症状が長引いたり，悪化したりすることがあるので，身体がぶつかるスポーツでは運動再開前に診察を受けて下さい．また受診する際は，脳震盪診療で経験のある医師のいる病院を受診するようにして下さい．

　運動再開は再診する病院の医師と相談して下さい．それまでは，脳震盪症状がある場合は，数日は競技の再開はしないで下さい．受傷から3日ほどして，ジョギングなどの頭をぶつける可能性のない軽い運動から始めることは可能です．

3. 65歳以上，または"血液さらさら"のお薬を飲んでいる患者さんへ

　来院時にCT検査で異常がない場合でも数カ月後に脳出血が出現する可能性があります．数カ月後でも，ふらつき，認知症が進んだ，いつもできていることができなくなったなどという症状が出現したら再診して下さい．

　何か不明な点がありましたら，いつでもご連絡下さい．

　　　　　　　　　　　　連絡先 電話：●●●－●●●－●●●●　　■■■病院　救急科

Part 2　軽症頭部・頸部外傷CT　いつ撮るの？撮らないの？

4　成人・小児頸椎外傷のCT適応
―国外のデータと国内の事情から頸椎CTの適応を検討する

Part 2では頭部外傷に続き頸椎外傷についても"CTの適応"を考えます。まず，Part 2の到達目標をもう一度確認してみましょう。

> **Part 2の到達目標：軽症頭頸部外傷の画像適応**
> - "とりあえずCT"から脱却する。撮る理由・撮らなくてよい理由を言語化できる。
> - 成人・小児の頭部外傷CT／頸椎外傷CTの適応について，それぞれ言語化できる。

以下の症例で頸椎CTを撮る or 撮らなくてよい理由を考えて言語化してみましょう。

> **症例**
> ・○歳男性，・主訴：交通外傷で来院した。●●●●●が事故の詳細で……，・既往：……，・身体所見：■■■■■

●●●にどのような項目があればCTを撮りますか，あるいは撮りませんか？　実臨床ではどのような問診や身体所見でCTの適応を決めているか考えてみて下さい。

頸椎CT前のチェックポイントは？

検査の前に●●●（病歴）や■■■（身体所見）は，どのようなものを考えたでしょうか？　もし"高エネルギー外傷"と答えたのであれば，具体的に「何が高エネルギーなのか」言及しなければなりません。また頸椎だけに，頭部の所見から四肢の神経所見もポイントになりますが，ここでも具体性が求められます。頸椎損傷も複数の項目から総合判断し画像検査の是非を決めますが，この際の頸椎CTの適応について，有名な2つの臨床研究を確認してみましょう。

National Emergency X-Radiography Utilization Study (NEXUS) は5つの項目がすべて陰性であれば感度99％で頸椎損傷を除外できるとしています（表1）[1]。またCanadian C-Spine Rule (CCR) は項目数が増えますが，感度100％で頸椎損傷を除外できるとしています（表2）[2]。この2つの研究はかなりの高感度で頸椎画像診断をスキップできることを報告しています。

表1　NEXUS Criteria（米国）

- 後頸部正中に圧痛がない
- 飲酒・急性薬物中毒の病歴がない
- 意識清明
- 神経学的局在所見なし
- 注意を乱すような痛みがない

上記をすべて満たせば外傷に関する感度99%→画像なしでマネジメントを考慮

（文献1より引用）

表2　CCR（カナダ）

- GCS 15点
- 65歳未満
- 高エネルギー外傷[*1]なし
- 四肢の異常感覚なし
- 危険な交通事故[*2]ではない
- 救急外来で坐位が可能
- 歩行可能（受傷後から）
- 遅発性の頸部痛がある
- 後頸部正中に圧痛がない
- 左右45°回旋問題なし

上記をすべて満たせば頸椎外傷に関する感度100%→画像なしでマネジメントを考慮

[*1] 高エネルギー外傷
　1m以上，または階段5段以上の転落，頭→頸の長軸方向の外傷（例：飛び込み），時速100km以上の交通外傷，車横転，車外放出，ミニバイク，スノーモービル，ジェットスキーなどの乗車事故，自転車事故

[*2] 危険な交通事故
　正面衝突，バスや大きなトラックとの衝突，車横転，高速度の車の事故

（文献2より改変引用）

NEXUSとCCRの落とし穴

大変便利なツールであるNEXUSとCCRですが，注意点が2つあります。

まず1点目として，小児では利用できない点です。NEXUSは34,069人と大規模な臨床研究ですが，8歳以下は4人であり，ほとんど小児を対象としていません。同様にCCRは16歳以上を対象とした研究で，いずれも小児の場合は適用できません。

2点目は，両方とも「見逃してよい骨折」があるということです（表3）。これらの骨折は保存的加療で，神経予後にもほとんど影響しないため見逃しOKとしています。OKという感覚はあくまで北米の医療従事者の立ち位置からであり，日本国内の患者の場合とは異なります。日本であれば事故や労災でこれらの骨折を見逃がしてしまうとトラブルになる可能性があります。

北米の頸椎損傷ルールを使うときは，上記2点の注意が必要となります。

表3　頸椎損傷ルールで見逃しOKとされている骨折

NEXUSで見逃しOKの骨折	CCRで見逃しOKの骨折
・棘突起骨折 ・25%以下の圧迫骨折 ・骨棘骨折（涙滴骨折でない） ・横突起骨折 ・靱帯損傷を伴わない剝離骨折 ・type I歯突起骨折	・棘突起骨折 ・25%以下の圧迫骨折 ・骨棘骨折 ・横突起骨折

先行研究のその後

NEXUSとCCRは多くの追試がなされており，そのまとめを掲載します（表4A，B）[3]。多くの臨床研究がそうであるように追試では感度が悪くなり，これはオリジナルの研究の宿命といったところでしょう。

追試で感度が下がることや，そもそも見逃しOKの骨折があるという弱点を聞いて「ここは日本だ！ 北米のルールなんて使わない！」と決めてしまうのは少し早合点です。これらのルールで医療費が大幅に削減された報告もあり[4]，メリットもあるのです。このようなルールは，良い/悪い，使える/使えないの二元論でなく，その利用価値と限界を知って考えることが大切でしょう。

表4A 追試によるNEXUSとCCRの感度・特異度

	陽性	偽陽性	偽陰性	陰性	感度
CCR					
Stiell et al, 2001	151	5,041	0	3,732	1.00 (0.98〜1.00)
Stiell et al, 2003	161	3,995	1	3,281	0.99 (0.97〜1.00)
Miller et al, 2006	3	214	0	227	1.00 (0.29〜1.00)
Rethnam et al, 2008	2	26	0	86	1.00 (0.16〜1.00)
Stiell et al, 2009	23	0	0	0	1.00 (0.85〜1.00)
Vaillancourt et al, 2009	12	1,204	0	731	1.00 (0.74〜1.00)
Coffey et al, 2010	8	701	0	509	1.00 (0.63〜1.00)
Stiell et al, 2010	37	1,958	4	1,535	0.90 (0.77〜0.97)
Duane et al, 2011	192	2,991	0	18	1.00 (0.98〜1.00)
NEXUS					
Hoffman et al, 2000	576	29,184	2	4,307	1.00 (0.99〜1.00)
Stiell et al, 2003	147	4,599	15	2,677	0.91 (0.85〜0.95)
Dickinson et al, 2004	140	5,461	11	3,312	0.93 (0.87〜0.96)
Mahler et al, 2009	3	115	0	84	1.00 (0.29〜1.00)
Duane et al, 2011	130	1,331	27	1,118	0.83 (0.76〜0.88)
Griffith et al, 2011	37	1,160	4	364	0.90 (0.77〜0.97)
Migliore et al, 2011	1	46	0	14	1.00 (0.03〜1.00)
direct comparison					
Stiell et al, 2003 (CCR)	161	3,995	1	3,281	0.99 (0.97〜1.00)
Stiell et al, 2003 (NEXUS)	147	4,599	15	2,677	0.91 (0.85〜0.95)

X線 vs CT

どのようなときに画像なしとするかについて記載しましたが，実際に画像が必要になった場合に頸椎ではX線とCTのどちらを選ぶかという問題があります。

被曝に関しては頸椎X線が0.1mSv，頸椎CTは2mSVと大きな違いがありますが，成人の場合にはそこまで神経質にならなくてもよさそうです。問題は各検査でどこまで骨折が診断できるかです。Holmesらによると，頸椎骨折に関してCT（冠状断のみ）の感度は98%[5]，さらに前額断と矢状断を加えると感度はほぼ100%となります。一方，X線は3方向でも感度52%のため，いくら被曝量が少ないとはいえ，骨折を除外する検査としては力不足です。

また費用についてはどうでしょうか。頸椎外傷は頭部外傷を併発していることが多く，

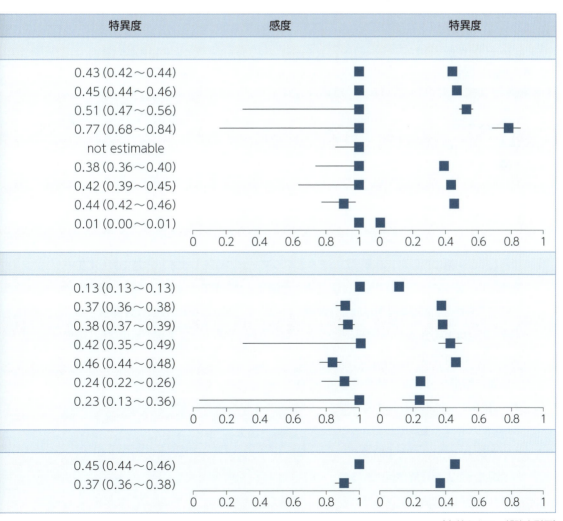

（文献3より一部改変引用）

表4B　追試によるNEXUSとCCRの感度・特異度

	likelihood ratio (95% CI)	
	陽性	陰性
CCR		
Stiell et al, 2001	1.74 (1.70〜1.77)	0.01 (0.00〜0.12)
Stiell et al, 2003	1.81 (1.77〜1.85)	0.01 (0.00〜0.10)
Miller et al, 2006	1.80 (1.23〜2.64)	0.24 (0.02〜3.25)
Rethnam et al, 2008	3.55 (1.94〜6.50)	0.22 (0.02〜2.74)
Vaillancourt et al, 2009	1.55 (1.38〜1.73)	0.10 (0.01〜1.54)
Coffey et al, 2010	1.63 (1.38〜1.92)	0.13 (0.01〜2.00)
Stiell et al, 2010	1.61 (1.45〜1.79)	0.22 (0.09〜0.56)
Duane et al, 2011	1.00 (1.00〜1.01)	0.42 (0.03〜6.97)
NEXUS		
Hoffman et al, 2000	1.14 (1.14〜1.15)	0.03 (0.01〜0.11)
Stiell et al, 2003	1.44 (1.36〜1.51)	0.25 (0.16〜0.41)
Dickinson et al, 2004	1.49 (1.42〜1.56)	0.19 (0.11〜0.34)
Mahler et al, 2009	1.52 (1.03〜2.24)	0.30 (0.02〜3.98)
Duane et al, 2011	1.52 (1.41〜1.65)	0.38 (0.27〜0.53)
Griffith et al, 2011	1.19 (1.07〜1.32)	0.41 (0.16〜1.04)
Migliore et al, 2011	0.98 (0.44〜2.22)	1.05 (0.09〜12.09)
direct comparison		
Stiell et al, 2003 (CCR)	1.81 (1.77〜1.85)	0.01 (0.00〜0.10)
Stiell et al, 2003 (NEXUS)	1.44 (1.36〜1.51)	0.25 (0.16〜0.41)

頭部CTと一緒に頸椎CTを撮ってしまうというアイデアはあります。一連で頭部CT→頸部CTと撮ってしまうのです。このときの医療費は頭部CTのみで1,020点，頭部CT＋頸椎CTでも1,020点と実は同じ保険点数なのです（表5）。なお，頭部CT単独と頸椎X線の場合は1,020点＋X線撮影費が別途上乗せされ1,307点で，X線の単価はCTの単価より安いはずですが，むしろCTで頭部＋頸椎を撮るより高くつきます（表5）。頭部CTに加えて頸椎CTを"ついでに"撮ってしまうというマネジメントは，ひと手間増える放射線技師さんの理解が得られるのであれば検討してもよいかもしれません。

表5　画像診断と費用

検査	費用
頭部CTのみ	¥ 10,200（1,020点）
頭部CT＋頸部CT*	¥ 10,200（1,020点）
頸椎X線	¥ 2,870（287点）
頭部CT＋頸椎X線	¥ 13,070（1,307点）

*一連であればCTは追加料金なし

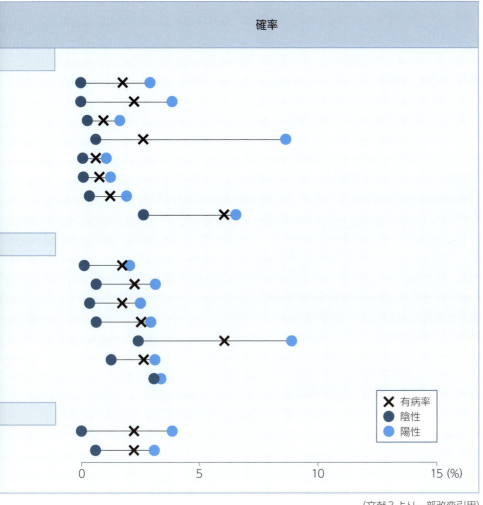

(文献3より一部改変引用)

小児はどうする？

　最後に，小児の頸椎CTについて解説します。まず，成人では利用可能なNEXUSやCCRは小児の適応がなく利用できません。また，頭部CTを撮るなら費用も一緒で頸椎CTも撮ってしまえというアイデアもありますが，ここで小児の場合は被曝の問題が立ちはだかります。頭部CT（2mSv）に加え頸部CT（2mSv）となると，被曝量も2倍となります。やはり可能な限りCTなしでやり過ごすルールが必要になってきます。

頸椎版PECARNルール

　Leonardら[6]はPECARNのデータベースをもとに小児の頸椎ルールを作成しました（表6）。

表6　PECARN頸椎外傷ルール

①意識障害（GCS≦14）
②局所神経所見
③頸部痛
④斜頸
⑤重症な体幹外傷
⑥頸椎損傷の素因となる条件[*1]
⑦飛び込み
⑧リスクの高い自動車事故[*2]

すべて該当しなければ感度98％で頸椎外傷除外

[*1] Down症候群，Klippel-Feil症候群，軟骨形成異常症，ムコ多糖症，Ehlers-Danlos症候群，Marfan症候群，骨形成不全症，Larsen症候群，若年性関節リウマチ，若年性強直性脊椎炎，腎性骨ジストロフィー，くる病，頸椎損傷や頸椎手術の既往
[*2] 自動車の正面衝突・横転事故・車外放出，同乗者死亡，時速88km超の事故

（文献6より改変引用）

病歴と身体所見で表6の該当項目がなければ，比較的安全に頸椎の画像なしで経過観察可能としています。"⑥頸椎損傷の素因となる条件"にある疾患がかなり多いですが，多くの小児は"既往なし"なので，そこまで使いにくさはありません。大変有用ですので是非利用して下さい。

頸椎CTの適応判断におけるポイント

☑ 成人頸椎CTはNEXUS，CCRが有用だが，見逃しOKの骨折の存在に注意
☑ 頭部CTと一緒に頸椎CTで評価するのは悪くないマネジメント
☑ 小児の頸椎損傷はPECARN頸椎外傷ルールで対応すべし

頸椎CTの適応について解説しました。初学者でルールを使ったことがない場合は是非「守破離」の心で使ってみて下さい（守）。しばらくするとルールを使わなくなる（破）時期が来ますが，そこで失敗と成功を繰り返すと思います。しかし最後はルールを超えた（離），患者ごとに適応を選ぶ診療ができれば一人前となります［Part 2-1（☞45頁）］。

文献

1) Panacek EA, et al：Test performance of the individual NEXUS low-risk clinical screening criteria for cervical spine injury. Ann Emerg Med. 2001；38(1)：22-5.
2) Stiell IG, et al：The Canadian C-spine rule for radiography in alert and stable trauma patients. JAMA. 2001；286(15)：1841-8.
3) Michaleff ZA, et al：Accuracy of the Canadian C-spine rule and NEXUS to screen for clinically important cervical spine injury in patients following blunt trauma：a systematic review. CMAJ. 2012；184(16)：E867-76.
4) Stiell IG, et al：Implementation of the Canadian C-Spine Rule：prospective 12 centre cluster randomised trial. BMJ. 2009；339：b4146.
5) Holmes JF, et al：Computed tomography versus plain radiography to screen for cervical spine injury：a meta-analysis. J Trauma. 2005；58(5)：902-5.
6) Leonard JC, et al：Factors associated with cervical spine injury in children after blunt trauma. Ann Emerg Med. 2011；58(2)：145-55.

Part 3　こんなときは何点？─NIHSSのトラブルシューター

Part 3　こんなときは何点？―NIHSSのトラブルシューター

1 非専門医がNIHSSをスマートにとるコツ
―オペラ式で3ブロックにわければストレス半減

非専門医の脳卒中治療での役割

　国内で血栓溶解療法（t-PA治療）が2005年に承認され，2020年現在には血管内治療が加わっています．急性心筋梗塞を心カテで治療するように，急性期の脳梗塞は脳カテで治療する時代の到来です．

　しかし，超急性期脳梗塞治療を担う脳卒中チームはまだまだ人手不足．非専門医も戦力として求められています．非専門医でも①適応患者さんのピックアップ〔チェックリストの確認（☞77頁参照）〕と，②NIHSSの2つができれば，早期治療に貢献できます．

　そこで，超急性期の脳梗塞治療におけるタイムテーブルで，①チェックリスト，②NIHSSのタイミングを確認してみましょう（図1）．

動画はこちら

time is brain

　超急性期脳梗塞は1分1秒を争います．来院から画像確認開始まで30分以内，投薬まで最低60分以内が目標値であることは非専門医も覚えておきましょう（図1）．

　血栓溶解療法で最初に確認できる適応条件は発症時間です．最終健常確認時刻から4.5時間以内の投与が原則です（図1）．ここで注意が必要なのが，wake up strokeと呼ばれる最終健常確認時刻が不明の超急性期梗塞です．たとえば「前日午後10時に就寝，午前7時に起きたら既に麻痺があり，午前8時に来院」というケースです．こうした場合に発症時間が不明でも，発見時間が4.5時間以内のため血栓溶解療法の適応の可能性があります．発見時間が4.5時間以内でMRI画像から逆算して超急性期の脳梗塞所見〔DWI／FLAIRミスマッチ（☞132頁参照）〕があれば適応は考慮されます（図1）．

　発症目撃のないケースもwake up strokeと同様に扱います．こうしたwake up strokeは超急性期梗塞の28％という報告もあり[1]，最終"未"発症確認時刻が不明でも画像判断まで適応症例として扱います．

　また血栓溶解療法に追加して血管内治療を実施する場合は，発症から6時間以内という制限があります．一方で発症から6時間以上経過していても，最終健常確認時刻から24時間以内であれば血管内治療を検討します（図1）．

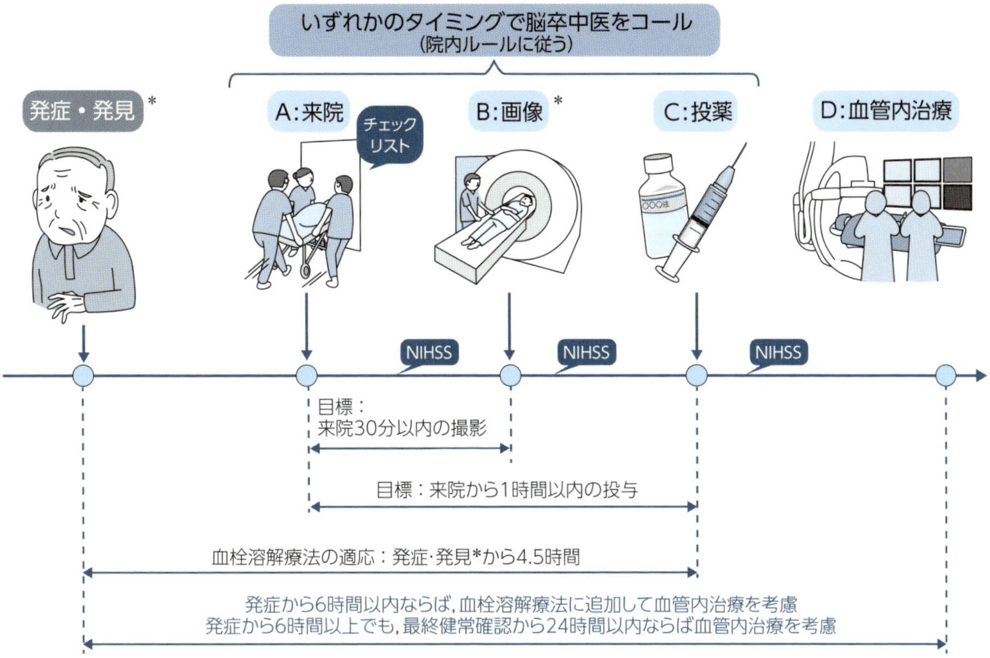

図1　超急性期脳梗塞のタイムテーブル
*発見4.5時間以内の場合はDWI/FLAIRミスマッチがあれば適応

> **超急性期脳梗塞のゴールデンタイム**
> ☑ 来院から画像確認開始まで30分以内，投薬まで最低60分以内が目標
> ☑ 発症から4.5時間以内が血栓溶解療法の適応
> ☑ 発見から4.5時間以内でもDWI/FLAIRミスマッチなら血栓溶解療法を考慮
> ☑ 発症から6時間以内ならば，血栓溶解療法に追加して血管内治療が検討される
> ☑ 発症から6時間以上でも，最終健常確認から24時間以内なら血管内治療を検討

動画はこちら

チームビルディング

　脳卒中チームがスタンバイしている病院は，どのタイミングで脳卒中チームを呼ぶか，非専門医がどこまで介入するか事前に確認しておくとよいでしょう。

　脳卒中チームが不在の場合は，まず医師を最低2人・看護師を最低2人スタンバイさせます。チームへの周知と放射線科への事前連絡だけで，治療が1.3分早くなったという報告もあります[2]。

　医師の1人はNIHSSを取り，ベッドサイド担当です。もう1人は外回りとして検査をオーダーする，家族から問診してチェックリストを埋めるなどしていきます。看護師も，点滴ルートを取るなどのベッドサイド担当が1人と，外回り1人が必要です。超急性期脳梗塞治療のスピードアップにはチームプレーが鍵となります。

t-PAのチェックリスト：適応外（禁忌）と慎重投与

　t-PAのチェックリスト［適応の判断（表1）[3]］は医師であれば誰でも使用可能で，難しいものではありませんが，とにかくスピードが求められます。そこで速く確実に実施するために筆者が工夫しているコツを時系列で列挙します。

①血圧：収縮期血圧（BPS）185mmHg，拡張期血圧（BPD）110mmHgの数字を絶対暗記！　これ以上血圧が高い場合はBPS＜180mmHg，BPD＜105mmHgまで降圧してから治療開始します。早めの血圧チェックで早めの降圧が始まり，早期のt-PAを可能にします。

②抗凝固薬：イグザレルト®，エリキュース®，リクシアナ®を服用している場合は，来院4時間以内に内服していれば適応外となります。プラザキサ®は，プリズバインド®でリバースすれば適応となる可能性もあるため，脳卒中医に早急に確認します。ワーファリン内服時はPT-INR＞1.7では適応外となる可能性があるため，採血で確認します。

③既往歴：適応外（禁忌）と慎重投与，2つ同時にチェックします。患者診察中や意識障害のときは，外回り医師が家族に聞いてしまいます。

④NIHSSのスコアの極端な低値・高値，高齢：NIHSSが26点以上と高い（あるいは極端に低い）場合は慎重投与であり，適応外ではありません。脳卒中医が「NIHSSが高いと出血リスクが高いので実施しない」とコメントしたとしても，それは慎重投与を考慮して実施しなかったのであり，適応外ではありません。年齢が高い場合も同様です。脳卒中担当医が「90歳以上は俺にとってはt-PA適応外だ！」と過去に発言しても次は適応かもしれません。慎重投与がいくつあっても，適応外の項目がすべてなければ，常にコンサルトし最終決定は脳卒中担当医に委ねます。

> **NIHSSを取るポイント**
> ☑ 適応外（禁忌）があれば非専門医でも，実施しないと判断してOK
> ☑ 適応外（禁忌）がすべてなければ，慎重投与がいくつあっても必ず専門医にコンサルト

⑤採血必要項目：MRI実施中の待ち時間を有効に使います。採血が必要なチェック項目を電子カルテの血液検査から確認し，リストを埋めます。MRI操作室の前にチーム全員が集まり各々が集めた情報をシェアしてリストを埋めます。

⑥広範な早期虚血変化か？：画像が確認できたときに「広範な早期虚血変化」を疑えば脳卒中医に確認を委ねます。症例によっては"広範"の判断は専門医でも難しいため非専門医が判断できなくてもかまいません。

表1 静注血栓溶解療法のチェックリスト

①まず血圧を確認し高ければ降圧薬も準備

②内服は抗凝固薬のみチェック

⑥広汎かどうかの判断は脳卒中医に委ねる

④高すぎる(または低すぎる)NIHSSや高齢は慎重投与であり,適応外ではない

③既往はいっぺんに確認してしまう

⑤採血結果を見ながら確認(画像撮影中でも実施検討)

適応外(禁忌)	あり	なし
発症ないし発見から治療開始までの時間経過		
発症(時刻確定)または発見から4.5時間超	□	□
発見から4.5時間以内でDWI/FLAIRミスマッチ*なし,または未評価		
既往歴		
非外傷性頭蓋内出血	□	□
1カ月以内の脳梗塞(症状が短時間に消失している場合を含まない)	□	□
3カ月以内の重篤な頭部,脊髄の外傷あるいは手術	□	□
21日以内の消化管あるいは尿路出血	□	□
14日以内の大手術あるいは頭部以外の重篤な外傷	□	□
治療薬の過敏症	□	□
臨床所見		
くも膜下出血(疑)	□	□
急性大動脈解離の合併	□	□
出血の合併(頭蓋内,消化管,尿路,後腹膜,喀血)	□	□
収縮期血圧(降圧療法後も185mmHg以上)	□	□
拡張期血圧(降圧療法後も110mmHg以上)	□	□
重篤な肝障害	□	□
急性膵炎	□	□
感染性心内膜炎(診断が確定した患者)	□	□
血液所見(治療開始前に必ず血糖,血小板数を測定する)		
血糖異常(血糖補正後も<50mg/dL,または>400mg/dL)	□	□
血小板100,000/mm³以下(肝硬変,血液疾患の病歴がある患者)	□	□
※肝硬変,血液疾患の病歴がない患者では,血液検査結果の確認前に治療開始可能だが,100,000/mm³以下が判明した場合にすみやかに中止する		
血液所見:抗凝固療法中ないし凝固異常症において		
PT-INR>1.7	□	□
aPTTの延長〔前値の1.5倍(目安として約40秒)を超える〕	□	□
直接作用型経口抗凝固薬の最終服用後4時間以内		
※ダビガトランの服用患者にイダルシズマブを用いて後に本療法を検討する場合は,上記所見は適応外項目とならない		
CT/MR所見		
広汎な早期虚血性変化	□	□
圧排所見(正中構造偏位)	□	□

*132頁参照

慎重投与(適応の可否を慎重に検討する)	あり	なし
年齢 81歳以上	□	□
最終健常確認から4.5時間超かつ発見から4.5時間以内に治療開始可能でDWI/FLAIRミスマッチあり		
既往歴		
10日以内の生検・外傷	□	□
10日以内の分娩・流早産	□	□
1カ月以上経過した脳梗塞(特に糖尿病合併例)	□	□
蛋白製剤アレルギー	□	□
神経症候		
NIHSS値26以上	□	□
軽症	□	□
症候の急速な軽症化	□	□
痙攣(既往歴などから,てんかんの可能性が高ければ適応外)	□	□
臨床所見		
脳動脈瘤・頭蓋内腫瘍・脳動静脈奇形・もやもや病	□	□
胸部大動脈瘤	□	□
消化管潰瘍・憩室炎,大腸炎	□	□
活動性結核	□	□
糖尿病性出血性網膜症・出血性眼症	□	□
血栓溶解薬,抗血栓薬投与中(特に経口抗凝固投与中)	□	□
月経期間中	□	□
重篤な腎障害	□	□
コントロール不良の糖尿病	□	□

〈注意事項〉1項目でも「適応外」に該当すれば実施しない。 (文献3より引用)

NIHSSのスコアリング：3つのブロックにわけてから，各項目を勉強する

NIHSSのゴールは，ベッドサイドでチェックシート（表2）[4]）を10分以内で埋め，0～42点のスコアリングをすることです。ただし，NIHSSは11項目もあり，非専門医にとって負担であることは間違いありません。そこで11項目を「A：意識と眼（1～3）」，「B：運動（4～7）」，「C：感覚と言語（8～11）」の3ブロックにわけてみましょう。筆者はこれ

表2　NIHSSチェックシート

NIHSS	患者名　　　　　評価日時　　　　　評価者
1a．意識水準	□0：完全覚醒　　　　□1：簡単な刺激で覚醒 □2：繰り返し刺激、強い刺激で覚醒　□3：完全に無反応
1b．意識障害－質問 （今月の月名及び年齢）	□0：両方正解　　□1：片方正解　　□2：両方不正解
1c．意識障害－従命 （開閉眼、「手を握る・開く」）	□0：両方正解　　□1：片方正解　　□2：両方不可能
2．最良の注視	□0：正常　　□1：部分的注視視野　　□2：完全注視麻痺
3．視野	□0：視野欠損なし　　　□1：部分的半盲 □2：完全半盲　　　　　□3：両側性半盲
4．顔面麻痺	□0：正常　　　　　□1：軽度の麻痺 □2：部分的麻痺　　□3：完全麻痺
5．上肢の運動（右） ＊仰臥位のときは45度右上肢 □9：切断、関節癒合	□0：90度＊を10秒保持可能（下垂なし） □1：90度＊を保持できるが、10秒以内に下垂 □2：90度＊の挙上または保持ができない。 □3：重力に抗して動かない □4：全く動きがみられない
上肢の運動（左） ＊仰臥位のときは45度左上肢 □9：切断、関節癒合	□0：90度＊を10秒間保持可能（下垂なし） □1：90度＊を保持できるが、10秒以内に下垂 □2：90度＊の挙上または保持ができない。 □3：重力に抗して動かない □4：全く動きがみられない
6．下肢の運動（右） □9：切断、関節癒合	□0：30度を5秒間保持できる（下垂なし） □1：30度を保持できるが、5秒以内に下垂 □2：重力に抗して動きがみられる □3：重力に抗して動かない □4：全く動きがみられない
下肢の運動（左） □9：切断、関節癒合	□0：30度を5秒間保持できる（下垂なし） □1：30度を保持できるが、5秒以内に下垂 □2：重力に抗して動きがみられる □3：重力に抗して動かない □4：全く動きがみられない
7．運動失調 □9：切断、関節癒合	□0：なし　□1：1肢　□2：2肢
8．感覚	□0：障害なし　□1：軽度から中等度　□2：重度から完全
9．最良の言語	□0：失語なし　　　　□1：軽度から中等度 □2：重度の失語　　　□3：無言、全失語
10．構音障害 □9：挿管または身体的障壁	□0：正常　　□1：軽度から中等度　　□2：重度
11．消去現象と注意障害	□0：異常なし □1：視覚、触覚、聴覚、視空間、または自己身体に対する不注意、あるいは1つの感覚様式で2点同時刺激に対する消去現象 □2：重度の半側不注意あるいは2つ以上の感覚様式に対する半側不注意

（文献4より引用）

を"オペラ式NIHSS"と呼んでいます（図1）。オペラを3幕にわけるとメリハリがつき，ストーリー性が出てくるという法則にあやかり，長く感じるNIHSSを3ブロックにわけるのです。ストーリー性が出てくるとあっという間に終わり，負担が減った気持ちになるので試してみて下さい。

NIHSSは意識の評価から始めます。一番のピットフォールは，<u>一見意識障害かと思ったものが実は失語で，意識は正常な場合がある</u>ことです。失語と意識障害ではNIHSSの評価方法も異なるため，スコアリングの早期に区別しなければなりません。合言葉は「意識障害をみたら失語を疑え！」です。

失語や意識障害のNIHSS評価は応用のため，次項以降（☞Part 3-②，3-③参照）で解説します。ここでは基本の，失語も意識障害もないNIHSSを理解することから始めましょう。

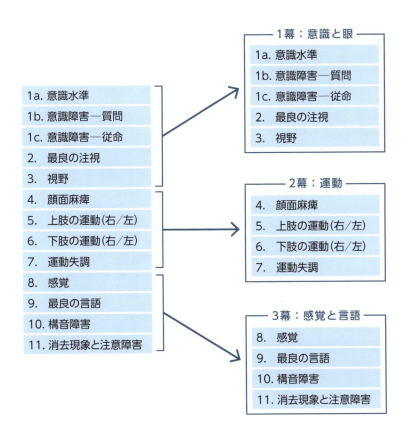

図1 NIHSSの11項目を3幕にわける

1幕：意識と眼（表2-1「1a〜3」）

表2-1 NIHSSチェックシート：1a〜3

1a. 意識水準	□0：完全覚醒　　　　□1：簡単な刺激で覚醒 □2：繰り返し刺激、強い刺激で覚醒　□3：完全に無反応
1b. 意識障害－質問 （今月の月名及び年齢）	□0：両方正解　　□1：片方正解　　□2：両方不正解
1c. 意識障害－従命 （開閉眼、「手を握る・開く」）	□0：両方正解　　□1：片方正解　　□2：両方不可能
2. 最良の注視	□0：正常　　□1：部分的注視視野　　□2：完全注視麻痺
3. 視野	□0：視野欠損なし　　□1：部分的半盲 □2：完全半盲　　　　□3：両側性半盲
4. 顔面麻痺	□0：正常

（文献4より引用）

「1．意識」は、失語も意識障害もないNIHSSでは意識の問題はないので、1a〜1cは0点です。

「2．最良の注視」は、眼球運動障害や共同偏視があってもわずかに追視できれば1点、まったく動かない場合は2点です。2点の多くは意識障害を伴うので次項（☞Part 3-②参照）で解説します。

「3．視野」は右眼と左眼を個別に右上・右下・左上・左下の4箇所で確認します（図2）。1箇所だけの異常であれば部分的半盲（1点）、左上下または右上下の異常は完全半盲（2点）、すべて見えなければ両側性半盲（3点）となります。

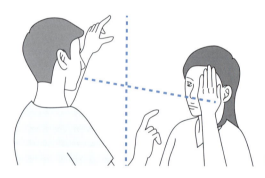

① 左上と右下の指を個別に動かし、認識できるか確認
　※最後に両方同時に動かし認識を確認（「消去現象と注意障害」で利用）
② 左下と右上の指を個別に動かし、認識できるか確認
　※最後に両方同時に動かし認識を確認（「消去現象と注意障害」で利用）

図2 視野の評価

2幕：運動（表2-2「4〜7」）

「4．顔面麻痺」の評価は、鼻から下半分と、眼から上半分の上下にわけます。軽度の下半分の麻痺（鼻唇溝の平坦化、笑顔の不対称）は1点で、それ以上の完全またはほぼ完全な下半分の麻痺は2点です。下半分に加えて上半分の麻痺があれば3点となります（図3）。

「5．上肢の運動」については、上肢の評価はBarré徴候とは違います。まず手掌を地面に向けます（Barré徴候は上）。そして左右片方ずつ所見を取ります（Barré徴候は同時）。このとき病歴から麻痺側がわかるときは健側から確認します。仰臥位で取ることが多いですが、このとき腕の角度は45°で10秒間姿勢保持を指示します。わずかに麻痺があっても10秒保持できれば0点です。数秒保持できても10秒以内にゆっくり落ちれば1点、

表2-2 NIHSSチェックシート：4〜7

	□3：両側性半盲
4．顔面麻痺	□0：正常　　　　□1：軽度の麻痺 □2：部分的麻痺　□3：完全麻痺
5．上肢の運動（右） *仰臥位のときは45度右上肢 □9：切断、関節癒合	□0：90度*を10秒保持可能（下垂なし） □1：90度*を保持できるが、10秒以内に下垂 □2：90度*の挙上または保持ができない。 □3：重力に抗して動かない □4：全く動きがみられない
上肢の運動　（左） *仰臥位のときは45度左上肢 □9：切断、関節癒合	□0：90度*を10秒間保持可能（下垂なし） □1：90度*を保持できるが、10秒以内に下垂 □2：90度*の挙上または保持ができない。 □3：重力に抗して動かない □4：全く動きがみられない
6．下肢の運動（右） □9：切断、関節癒合	□0：30度を5秒間保持できる（下垂なし） □1：30度を保持できるが、5秒以内に下垂 □2：重力に抗して動きがみられる □3：重力に抗して動かない □4：全く動きがみられない
下肢の運動（左） □9：切断、関節癒合	□0：30度を5秒間保持できる（下垂なし） □1：30度を保持できるが、5秒以内に下垂 □2：重力に抗して動きがみられる □3：重力に抗して動かない □4：全く動きがみられない
7．運動失調 □9：切断、関節癒合	□0：なし　□1：1肢　□2：2肢
8．感覚	□0：障害なし　□1：軽度

（文献4より引用）

数秒でふわりと落ちてしまうようなら2点，バタンと一瞬で落ち，わずかに動く程度なら3点，まったく動かないなら4点とします。

「6．下肢の運動」も，上肢同様に左右片方ずつ所見を取ります．角度は30°で5秒間保持できるかを確認します．上肢同様にわずかに麻痺があっても5秒保持できれば0点です．数秒保持できても5秒以内にゆっくり落ちれば1点，数秒でふわりと落ちてしまうなら2点，バタンと一瞬で落ち，わずかに動く程度なら3点，まったく動かないときを4点とします．

「7．運動失調」は，指−鼻−指試験，踵膝試験を左右で評価します．各四肢で最低2回は実施します．麻痺がある場合は当然左右差が出ますが，麻痺を差し引いても失調があると断言できるときだけスコアリングします（セブンイレブンルール）．

	0点	1点	2点	3点

眼より上	正常	正常	正常	麻痺あり
鼻より下	正常	軽度麻痺 （鼻唇溝が平坦化）	完全麻痺 （鼻唇溝の消失）	完全麻痺

図3　顔面運動の評価

3幕：感覚と言語（表2-3「8〜10」）

「8．感覚」で痛みを与える場所は左右の顔・上下肢・体幹の8箇所です。注意してほしいのは手首から末梢や，足首から末梢はだめです！ 上腕〜前腕，大腿〜下腿のいずれかにします（図4）。痛覚刺激（pin prick）で刺激を与えます。筆者は酒精綿のパッケージの角を愛用しています（図5）。感覚がまったくない（2点），少しある（1点）の2段階です。

「9．最良の言語」は，本項では失語のあるNIHSSは扱わないので，詳細は次項（☞ Part 3-②参照）をご覧下さい。

「10．構音障害」では，カードにある6つの単語を音読してもらいます（図6）。検者がまったく理解できないほどの構音障害がある場合は2点，構音障害はあっても検者が理解できれば1点とします。

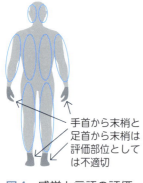

図4 感覚と言語の評価
痛覚刺激は8箇所で確認する

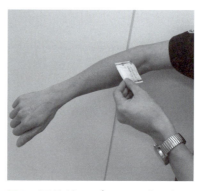

図5 酒精綿のパッケージの角による刺激

```
ママ
はとぽっぽ
バイバイ
とうきょう
かたつむり
バスケットボール
```

図6 構音障害の評価

Column: NIHSSの"セブンイレブンルール"

「7．運動失調」は麻痺がある場合，スコアリングに迷います。また，後述の「11．消去現象と注意障害（空間無視）」も，感覚障害がある場合，スコアリングに迷います。しかしいずれも，元からある麻痺や感覚障害を差し引いても絶対に所見があると断言できるときのみスコアリングします。実臨床で非専門医が断言できることは少ないので，麻痺＋運動失調，感覚障害＋空間無視の多くは0点です。なかなかポイントがつかないこの2項目の「7」と「11」の数字をとって，筆者はNIHSSの"セブンイレブンルール"と呼んでいます。

表2-3 NIHSSチェックシート：8〜10

8. 感覚	□0：障害なし　□1：軽度から中等度　□2：重度から完全
9. 最良の言語	□0：失語なし　　　□1：軽度から中等度 □2：重度の失語　　□3：無言、全失語
10. 構音障害 　□9：挿管または身体的障壁	□0：正常　　□1：軽度から中等度　　□2：重度
11. 消去現象と注意障害	□0：異常なし

(文献4より引用)

消去現象と注意障害（空間無視）を理解する（表2-4「11」）

　最後の「11．消去現象と注意障害（空間無視）」が苦手な非専門医は多いため，本書では以降に詳しく解説します。

　まず，消去現象とはどのような異常かを理解しましょう。例として，河原で子どもたちが遊んでいる状況を挙げます。最初は2人とも止まっています。そこで男の子が走ったら「男の子が動いた」と判断でき，同様に女の子だけが隣の花畑へ行ったとき「女の子が動いた」と判断できたとします（図7）。"別々に"動いた男の子と女の子が各々判断できればテスト第1段階は終了です。これだけであれば，「3．視野」の評価とほぼ同じです。そこで第2段階では，男の子と女の子に同時に動いてもらいます。正常であれば「2人とも動いた」と判断できますが，もし「女の子だけ動いた」と答えた場合，これが消去現象となります。左右個別の刺激では判断できても，左右同時の刺激では片方しか判断できず，男の子は消去されてしまうのです。

　消去現象は視覚だけでなく，聴覚や触覚でも起こります。消去現象では，男の子と女の子の遊び声が個別であれば聞こえても，同時に声を出すと片方の声しか聞こえません。多くの場合，左側の消去現象となることが多く，今回の例では男の子が把握できないことが多いです。つまり，左右別々に刺激を受ければ認識できるけれども，左右同時に刺激を受けると一方を認識できない現象です。

図7　消去現象と注意障害

さて，触覚で消去現象を確認するにはどうすればよいでしょう？　そのためには患者さんに目を閉じてもらい，医師が左右の腕を"交互に"握ります。各々で「右手を握りました」または「左手を握りました」と答えられた後に，両手を"同時に"握ります。「両手です」と答えられれば正常です。しかし，左側の消去現象がある場合は"同時に"握ると「右手を握りました」と答えてしまいます。

表2-4　NIHSSチェックシート：11

11．消去現象と注意障害	□0：異常なし □1：視覚、触覚、聴覚、視空間、または自己身体に対する不注意、あるいは1つの感覚様式で2点同時刺激に対する消去現象 □2：重度の半側不注意あるいは2つ以上の感覚様式に対する半側不注意

(文献4より引用)

消去現象と注意障害の診察方法

その①：NIHSS「1」〜「3」の伏線を回収する

　「11．消去現象と注意障害」のスコアリングを解説します。NIHSSの解説文では「これより前の項目の検査を行っている間に，無視を評価するための十分な情報を得られている」という記載で始まります。この文章の意味するところは，「1．意識」「2．最良の注視」「3．視野」の項目で，右からの刺激には反応するけれど左からの刺激はわからない，などから予測できることです。さらに「3．視野」では，左右の同時刺激を既に評価しておくのです。本来であれば，NIHSSは戻ってはいけませんが，NIHSSは"オペラ"です（＝台本に伏線あり）。「1」〜「3」の伏線を「11」で回収すると思って下さい。この時点で明らかな半側不注意と判断しているのであれば重度の消去現象と評価し，2点をつけます。

その②：線分二等分テスト

　「11」の評価前に消去現象を疑っても確証が持てない場合は，改めて追加検査でスコアリングします。まず線分二等分テスト（図8）を行います。聴診器の真ん中を指でつまんでもらいます。真ん中を摑めなければ重症と判断し，2点をつけて終了とします。もし真ん中を摑めれば次のステップに進みます。ちなみに重度の視覚障害がある場合は評価できないので，以降の視覚以外の感覚刺激で対応します。

図8　線分二等分テスト

その③：触覚・聴覚刺激で締めくくる

　視覚で異常がなくても，触覚と聴覚を刺激して追加確認します。まず触覚は，「8．感覚」で片側の触覚がまったくなければ判断できず，触覚があることが「11」を評価するための前提条件となります。ここでも「8」の異常がないので「11」の触覚の評価ができる伏線が回収されます。感覚異常がないのに，両側同時刺激（左右の手を同時に握る）で片方しか認識できない場合は異常となります（図9A）。このとき視覚刺激が入らないよう，腕を握るときに閉眼してもらうのを忘れないで下さい。同様に聴覚刺激をします。患者さんの左右の耳の近くで指をこすり，個別の刺激と同時の刺激で認識できているかを確認します（図9B）。

　「11．消去現象と注意障害」の診察チャートを図10にまとめます。視覚・触覚・聴覚など2つ以上で陽性のときは重症で2点，1つだけは1点です。各項目で迷うときが多いですが，いずれも断定できないときはセブンイレブンルールで0点です。

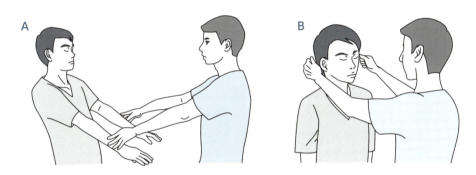

図9　触覚2点刺激（A），聴覚2点刺激（B）
①右だけ刺激，②左だけ刺激，③同時に刺激，の順に行う

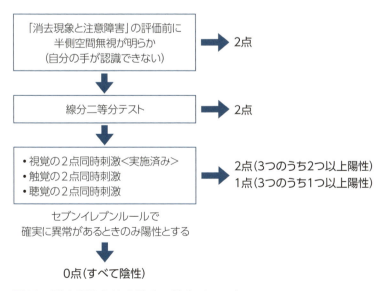

図10　消去現象と注意障害の診察チャート

これでNIHSSのスコアリングはすべて終了です。目標は，本文の解説を見なくても，スコアシートのみでスコアリングを10分以内にできることです。NIHSSはスポーツです。文章で理解したら動画を何度も確認し，実際にベッドサイドで実施できるように実践して，体で覚えて下さい。

動画はこちら

非脳卒中医がNIHSSを取るためのポイント

☑ 軽症例，NIHSS値26以上，高齢は適応外ではなく慎重投与なので注意する
☑ NIHSSの11項目をオペラ式で3幕にわける
　・1幕：意識評価では失語と意識障害の確認をする
　・2幕：上肢はBarré徴候で評価しない
　・3幕：感覚は手首・足首から末梢では評価しない
☑ セブンイレブンルール：「7.　運動失調」と「11.　消去現象」は麻痺や感覚障害を差し引いても所見があるときのみ加算する

文　献

1) Xian Y, et al：Strategies used by hospitals to improve speed of tissue-type plasminogen activator treatment in acute ischemic stroke. Stroke. 2014；45(5)：1387-95.
2) Mackey J, et al：Population-based study of wake-up strokes. Neurology. 2011；76(19)：1662-7.
3) 日本脳卒中学会　脳卒中医療向上・社会保険委員会，静注血栓溶解療法指針改訂部会：静注血栓溶解 (rt-PA) 療法適正治療指針 第3版. 2019, p10.
4) 「ISLSガイドブック2018」編集委員会，編：ISLSガイドブック2018―脳卒中の初期診療の標準化．日本救急医学会, 他監. へるす出版, 2018, p54-70.

Part 3 こんなときは何点？―NIHSSのトラブルシューター

2 失語患者のNIHSS
―50％はパントマイムで乗り切る

失語と意識障害の鑑別はどうするか？

　本項では，失語のNIHSSを見ていきます．失語の場合も，前項（☞Part 3-1参照）で述べたように"オペラ式NIHSS"に準じ，3幕にわけて所見を取ります．ただし失語か意識障害かは所見を取る前にはわかりません．そこで，合言葉"意識障害をみたら失語を疑え"です．NIHSSの意識評価で意識障害があったときに失語を鑑別に挙げることが重要です．

　具体的にどのように失語と意識障害を鑑別してスコアリングするか解説します．

　まず「1a．意識水準」では，失語だけでは2点や3点になるような意識障害はきたしません．問題は1点の場合で，感覚性失語で従命が入らないのか，意識障害なのかの区別が難しいです．同様に，「1b．意識障害―質問」では，月名と年齢の確認が2点の場合，失語か意識障害か区別が難しいです．

　つまり，1a：1点，1b：2点は失語か意識障害かわかりませんが，次で鑑別するつもりで1cに進みます．「1c．意識障害―従命」で口頭指示により開眼や離握手ができなくても，失語の可能性があるので，続けて"パントマイム"で反応できるかを見ます．反応できれば失語，反応がなければ意識障害です（表1）[1]．

表1　NIHSS：失語と意識障害の鑑別

1a．意識水準
0：完全に覚醒している，的確に反応する． 1：覚醒していないが簡単な刺激で覚醒し，命令に従ったり，答えたり，反応することができる． 2：覚醒していなくて，注意を向けさせるには繰り返し刺激する必要があるか，あるいは意識が混濁していて（常同的ではない）運動を生じさせるには強い刺激や痛み刺激が必要である． 3：反射的運動や自律的反応だけしか見られないか，あるいは完全に無反応，弛緩状態，無反射状態である．
1b．意識障害－質問（今月の月名および年齢）
0：両方の質問に正解，1：一方の質問に正解，2：両方とも不正解
1c．意識障害－従命（開閉眼，手を握る・開く）
0：両方とも遂行可，1：一方だけ遂行可，2：両方とも遂行不可

（文献1をもとに作成）

> **失語と意識障害の鑑別のポイント**
> - ☑ NIHSSの「1. 意識」の評価で1a：1点，1b：2点の場合は失語と意識障害を1cで鑑別する
> - ☑ パントマイムで従命できれば失語，できなければ意識障害として，以降評価すべし

1幕：失語の注視と視野の評価

　失語のNIHSSのスコアリングを見ていきましょう（**表2**）[1]。
「2. 最良の注視」もパントマイムで評価します。正中を越えて左右に眼球が動けば0点です。「3. 視野」はvisual threatを使います。これは失語だけでなく意識障害でも同様に実施可能な手技なので，是非覚えて下さい。まず，患者さんを開眼状態にします。その時点で右眼と左眼を個別に右上・右下・左上・左下の4箇所から視覚刺激を与えます。このときのコツはちょうど空手の寸止めのように少しびっくりするような視覚刺激を与えることです（**図1**）。寸止めであって，本当に殴らないように気をつけて下さい。怖がって閉眼する，避けようと顔を動かすなどの反応があれば視野欠損なしと判断します。

表2　NIHSS：最良の注視と視野

2. 最良の注視
0：正常
1：部分的注視麻痺。注視が一側あるいは両側の眼球で異常であるが，固定した偏視や完全注視麻痺ではないとき。
2：「人形の目」手技で克服できない固定した偏視あるいは完全注視麻痺。

3. 視野
0：視野欠損なし，1：部分的半盲，2：完全半盲，3：両側性半盲（皮質盲を含む全盲）

（文献1をもとに作成）

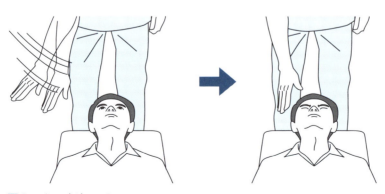

図1　visual threat

2幕：失語のNIHSSはパントマイムで乗り切る

動画はこちら

1幕で，「1c．意識障害—従命」（従命：開閉眼，手を握る・開く）と「2．最良の注視」（共同偏視）に"パントマイム"で対応したように，2幕の運動はすべてパントマイムで乗り切ります。言葉で指示を出せない失語症では，いかにうまくパントマイムで伝えるか演技力勝負！　ただし毎回出たとこ勝負のアドリブは難しいので"台本"を準備しておくことをお勧めします。一度練習しておけば突然"役"が回ってきたときに演じることができるので，準備しておきましょう（図2）。

ただし，「4．顔面麻痺」は，パントマイムが難しいときは痛み刺激で反応を見てもよいです。「5．上肢の運動」「6．下肢の運動」は失語では四肢の運動を痛み刺激で評価してはいけませんので，パントマイムで乗り切りましょう。

「7．運動失調」はパントマイムでの指示が難しい場合があります。その際にもセブンイレブンルール（☞Part 3-1，82頁コラム参照）を適用します。「ISLSガイドブック2018」[1]でも"理解力のない患者では失調はないものとする"と記載があり，実施不能なら0点にします。

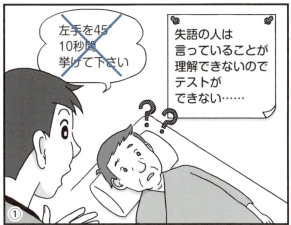

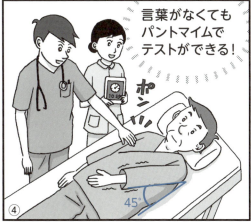

図2　上肢，下肢の評価はパントマイムの台本を準備しておく

3幕：失語の感覚・言語の評価

　失語の3幕目，「8. 感覚」と「9. 最良の言語」(表3)[1]ではパントマイムは封印します。
　「8. 感覚」は痛覚刺激で四肢の逃避反応や顔しかめで評価します。「ISLSガイドブック2018」にも「重篤あるいは完全な感覚障害が明白に示されたときのみに2点を与える。したがって昏迷あるいは失語症患者は恐らく1または0点となる」とあります。

表3　NIHSS：感覚と最良の言語，構音障害，消去現象と注意障害

8. 感覚
0：正常。感覚障害なし。
1：軽度から中等度の感覚障害。pin prickをあまり鋭くなく感じるか障害側で鈍く感じる。あるいはpin prickに対する表在感覚は障害されているが触られているということはわかる場合。
2：重度から完全感覚脱失。触られているということもわからない。

9. 最良の言語
0：失語なし。正常
1：軽度から中等度の失語。明らかな流暢性・理解力の障害があるが，表出された思考，表出の形に重大な制限を受けていない。しかし，発話や理解の障害のために与えられた材料に関する会話が困難か不可能である。たとえば，患者の反応から検者は答えを同定することができる。
2：重度の失語。コミュニケーションはすべて断片的な表出からなっていて，聞き手に多くの決めつけ，聞きなおし，推測がいる。交換される情報の範囲は限定的で，聞き手はコミュニケーションの困難性を感じる。検者は患者の反応から答えを同定することができない。
3：無言，全失語。有効な発話や聴覚理解はまったく認められない。

10. 構音障害
0：正常
1：軽度から中等度。
2：重度。構音異常が強いため，検者が理解不能である。

11. 消去現象と注意障害
0：異常なし
1：視覚，触覚，聴覚，視空間，または自己身体に対する不注意，あるいは1つの感覚様式で2点同時刺激に対する消去現象。
2：重度の半側不注意あるいは2つ以上の感覚様式に対する半側不注意。

(文献1をもとに作成)

　「9. 最良の言語」の評価は3つのカードの絵や文章を読んでもらうことで評価します(図3～5)。1点と2点の違いは，1点は推測すればカードの質問の答えが理解でき，会話はなんとか可能ですが，2点は推測しても答えがわからない，会話が成り立たない場合です。
　「10. 構音障害」は「9. 最良の言語」の評価の際にこっそり評価します。失語のため極端に会話が少ないときや発語がまったくない場合は2点にします。
　「11. 消去現象と注意障害」は失語でも評価します。ここでもセブンイレブンルールが適用され，失語の場合は0点のことが多いです。

図3　失語評価カード1
（文献1より転載）

図4　失語評価カード2
（文献1より転載）

図5　失語評価カード3
（文献1より転載）

分かっています

地面に落ちる

仕事から家に帰った

食堂のテーブルのそば

昨夜ラジオで話しているのを聴きました

失語のNIHSSの半分がパントマイムなので，普段から演技力を磨いておきましょう（表4）。

表4　失語患者のNIHSSのポイント

1a.	意識水準	多くは1点
1b.	意識障害—質問（月・年齢）	多くは2点
1c.	意識障害—従命（眼，握る・開く）	パントマイム
2.	最良の注視	パントマイム
3.	視野	visual threat
4.	顔面麻痺	パントマイム：こめかみに痛みOK
5.	上肢の運動（右／左）	パントマイム：痛み刺激だめ！
6.	下肢の運動（右／左）	パントマイム：痛み刺激だめ！
7.	運動失調	パントマイム（多くは0点）
8.	感覚	多くは0〜1点
9.	最良の言語	評価すべし
10.	構音障害	評価すべし（ほぼ無言なら2点）
11.	消去現象と注意障害	評価すべし（多くは0点）

失語患者のNIHSSのポイント

- ☑ 意識の評価で異常があれば，失語を念頭に置いて評価する
- ☑ 「1c」〜「7」まではすべてパントマイムで評価，台本を準備しておくべし
- ☑ 失語で顔面運動は痛み刺激OK。ただし，四肢運動は痛み刺激はだめ！

文献

1) 「ISLSガイドブック2018」編集委員会，編：ISLSガイドブック2018―脳卒中の初期診療の標準化．日本救急医学会，他監．へるす出版，2018, p54-70.

Part 3 こんなときは何点？―NIHSSのトラブルシューター

3 意識障害患者のNIHSS
―昏睡であれば約半分の項目が2点

　Part 3の最後は，意識障害のNIHSSを見ていきましょう。意識障害は失語と違い，パントマイムでも従命が入らないため，代わりに疼痛刺激で評価します。演技力が不要なため，実は意識障害のNIHSSスコアリングは失語ほど難しくありません。さらに昏睡でどうしても所見が取れない場合は点数が決まっている項目もあります。

　ここで，意識障害のNIHSSスコアリングにおける2つのポイントを確認してみましょう。

> **意識障害におけるスコアリングのポイント**
> ☑ 運動と感覚は痛み刺激で乗り切る
> ☑ 「昏睡であれば2点」となる項目を覚えてしまう（「9. 最良の失語」の無言，全失語のみ3点）

　この2つのポイントをふまえ，まず，全体像の確認です（表1）。痛み刺激と昏睡でほとんどの項目は対応できます。

　以下，より具体的にスコアリングを見ていきましょう。

表1　意識障害患者のNIHSSのポイント

1a.	意識水準	評価すべし
1b.	意識障害―質問（月・年齢）	評価すべし（多くは2点）
1c.	意識障害―従命（眼，握る・開く）	昏睡：2点
2.	最良の注視	人形の目（陽性：1点，陰性：2点）
3.	視野	visual threat
4.	顔面麻痺	痛み刺激
5.	上肢の運動（右/左）	痛み刺激
6.	下肢の運動（右/左）	痛み刺激
7.	運動失調	多くは0点
8.	感覚	痛み刺激 昏睡：2点
9.	最良の言語	昏睡：3点
10.	構音障害	昏睡：2点
11.	消去現象と注意障害	昏睡：2点

1幕：意識障害でスコアリングする

　ここでは失語でなく，意識障害と判断された場合のスコアリングを解説していきます。まずはNIHSSを3つにわけたとき（☞Part 3-①参照）の1幕目についてです。「1．意識」は，意識障害ならばしっかり評価します。ただし最初の段階では失語との鑑別を怠りません。なお，「1c」は昏睡などで指示が入らなければ2点とします。

　「2．最良の注視」は，意識障害や昏睡では指示が入らない場合，また共同偏視を認める場合は1点か2点ですが，その区別が問題になります。このときに役立つのが"人形の目現象"です。正常で脳幹障害がなければ，頭を急速に左右に動かすと眼球はその運動方向と反対方向に動きます（人形の目現象，陽性：図1A）。ところが，脳幹や中脳の障害があると人形の目現象が消失し，頭部とともに眼球が動いてしまいます（人形の目現象，陰性：図1B）。人形の目現象が"陽性なら正常"ですので1点，人形の目現象が陰性で頭と眼が同時に動いてしまうようなら"脳幹障害あり"と判断し，2点で加点します。共同偏視があってもこの反射で所見を評価します。

　「3．視野」は，失語で解説したvisual threatで対応します（☞Part 3-②参照）。

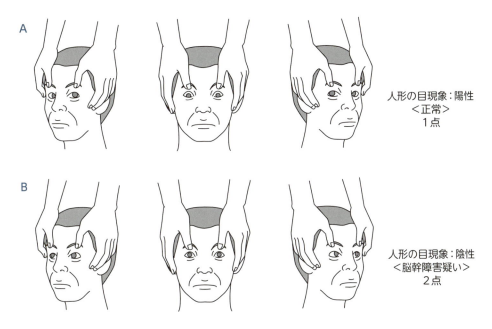

図1　昏睡時の注視の評価：人形の目現象

2幕：すべて痛み刺激で乗り切る

　意識障害において，「4」～「6」の顔面麻痺・上肢と下肢の運動の評価は，昏睡の場合は痛み刺激で対応せざるをえません。痛みを与える部位や方法について，「ISLSガイドブック2013」では顔面麻痺の評価では前胸部に痛みを与えるとありますが，四肢麻痺の評価では特に痛みを与える部位について指示はありません。感覚障害が併発している場合もあるので，筆者は数箇所を刺激した反応でスコアリングしています。この際の注意点は，除脳硬直で動いてしまった場合は4点で，まったく動かないときと同じスコアになることです。

3幕：セブンイレブンルールと8～11は昏睡＝最高点

　「7. 運動失調」は評価が難しいですが，セブンイレブンルール（☞ Part 3-①，コラム参照）で，絶対にあると言えないときは加点できないので，多くは0点となります。
　「8. 感覚」は，痛み刺激を与える場所は正常の場合と同じです。四肢麻痺や昏睡でまったく反応がない場合は2点にします。意識障害では，軽度～中等度の評価ができないため1点はつけず，刺激でそれなりに動く場合は0点にします（図2）。
　「9. 最良の言語」はカードで評価しますが，昏睡ではそもそも所見が取れませんので，3点となります。同様に「10. 構音障害」も発語があれば評価できますが，昏睡で発語がない場合は所見が取れませんので2点です。
　「11. 消去現象と注意障害」は昏睡では2点にします。一方，意識混濁ならばなんとか評価できるので，結果的に多くはセブンイレブンルールで0点になります。

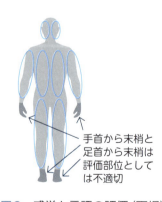

図2　感覚と言語の評価（再掲）
痛覚刺激は8箇所で確認する

カンニングペーパーをつくっておく

失語と意識障害のポイントを**表2**に挙げました．難しく感じるのは慣れていないだけです．実臨床の予習・復習を動画で疑似体験し，最初はこの表をカンニングしながらでもよいので，とにかくたくさん実施して下さい．ひたすら数をこなすのが上達への近道です．

表2 失語患者と意識障害患者のNIHSSのポイント

	失語	意識障害
1a. 意識水準	多くは1点	評価すべし
1b. 意識障害—質問（月・年齢）	多くは2点	評価すべし（多くは2点）
1c. 意識障害—従命（眼，握る・開く）	パントマイム	昏睡：2点
2. 最良の注視	パントマイム	人形の目 （陽性：1点，陰性：2点）
3. 視野	visual threat	visual threat
4. 顔面麻痺	パントマイム：こめかみに痛みOK	痛み刺激
5. 上肢の運動（右/左）	パントマイム：痛み刺激だめ！	痛み刺激
6. 下肢の運動（右/左）	パントマイム：痛み刺激だめ！	痛み刺激
7. 運動失調	パントマイム（多くは0点）	多くは0点
8. 感覚	多くは0～1点	痛み刺激 昏睡：2点
9. 最良の言語	評価すべし	昏睡：3点
10. 構音障害	評価すべし（ほぼ無言なら2点）	昏睡：2点
11. 消去現象と注意障害	評価すべし（多くは0点）	昏睡：2点

失語と意識障害におけるスコアリングのポイント　動画はこちら

☑ 意識障害のNIHSSが苦手なのは"食わず嫌い"なだけ

☑ 昏睡なら「1c」と「8」～「11」は満点，「4」～「6」は痛み刺激で乗り切れば6割終了

☑ 「2. 最良の注視」は人形の目，「3. 視野」はvisual threatで対応する

Part 4 脳卒中の画像診断
その身体所見と画像所見シンクロしていますか？

1 症状からみる脳卒中画像診断：1
—ピンポイントで画像予測：塗り絵式勉強法＜麻痺編＞

　患者さんが麻痺やしびれなどの神経症状で来院し，脳卒中が疑われた場合は，頭部画像を撮影し診断を確認していきます．その際に大切なのは，「疾患の有無だけでなく，神経症状が画像でも説明できること」です．"CTで白ければ脳出血"，"MRIのDWI（diffusion weighted image，拡散強調画像）で白ければ脳梗塞"とするだけでは不十分なのです．コンサルトで「頭部画像が白いからあとはヨロシク！」は御法度！　非専門医でもコンサルトの際に患者さんの神経症状について，画像で異常のある箇所から説明しなければなりません．さらに，脳梗塞の場合は時間経過により治療が選択されますので，発症からどれくらい時間が経っているかの予測も必要となります．

> **Part 4の到達目標：症状からみる脳卒中画像診断**
> ①神経所見から画像所見を予測する．
> ②画像所見から発症時間を推測する．

　Part 4-①，②では，いかに「①神経所見から画像所見を予測する」かについて勉強していきます．

　そこでクイズです．以下の症例でCTとMRIのどこに異常所見があるか考えて下さい．これは実際に研修医に行ってもらっている方法です．頭部CTやMRIの撮影室前で図1のような塗り絵を渡し，異常が出るであろうと予測する箇所を塗りつぶしてもらいます（塗り絵が撮影前後の画像と一致していたら，技師さんからも一目置かれること間違いなしです）．

　名づけて"塗り絵式勉強法"！　異常が出そうな箇所を塗りつぶしてみましょう．CTとMRIでそれぞれ実施，答えは1つではなく複数ありますよ．

症　例	70歳，男性
・来院当日の朝食時，いつもよりもご飯をこぼす．
・昼頃に，たばこの火がつけられないと，イライラ．
・夕方，心配した息子がERに連れてきた．
・既往歴：不整脈で当院がかかりつけ．
・バイタル：血圧160/100，心拍数80，呼吸数16，体温36.7℃．
・身体所見：上肢MMT（右上4/5，左5/5）．
・他の神経所見は異常なし．

? Quiz CT，MRIでどこに所見がありそう？

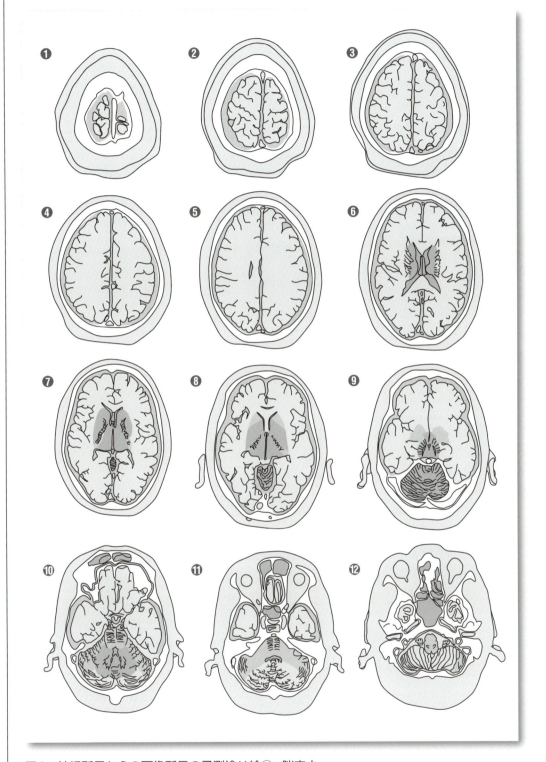

図1 神経所見からの画像所見の予測塗り絵①：脳卒中

※この塗り絵は以降も使用しますので，コピーなどしてとっておいて下さい．

麻痺が出る場所を知る

　答え合わせの前に解説から始めます。本例は右手の麻痺症例ですので，右手を動かすメカニズムを「生理学」から，さらに頻度の高い疾病を「疫学」から復習し，どこに異常があると麻痺が出るかを確認していきましょう。

　まず生理学的に「右手を動かせ」という命令は大脳皮質の運動野から運動神経線維を通過し，脊髄を下行し筋肉に到達して運動となります。この経路のどこに異常を生じても右手の麻痺となりますが，大切なのは疫学的に異常が出やすい場所をチェックすることです。

　ズバリここで頻度が高い場所は，大脳皮質運動野と内包後脚の2箇所です（図2）。この病変部位をさらに詳しくみていきましょう。

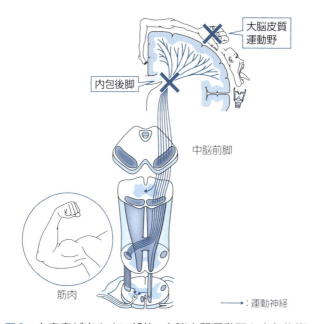

図2　右麻痺が出やすい部位：大脳皮質運動野と内包後脚

大脳皮質運動野と内包後脚のホムンクルス

　大脳皮質運動野にはホムンクルス（小さな人，こびと）が頭頂から順に，足→手→顔と配置されるイメージで，各部の運動の発起点となります（図2）。大脳皮質運動野は中大脳動脈（middle cerebral artery：MCA）に栄養されていますが，この血管は梗塞しやすいため，麻痺を生じる代表的な部位です。

　さらにこれらの運動神経線維は下行すると収束し，内包後脚を通過し脊髄へと走行していきます。内包後脚は解剖学的には視床と被殻に挟まれた場所に位置します（図2，3）。そして内包後脚にも大脳皮質同様にホムンクルスが前方から順に，顔→手→足と整然と配列されています（図4）。この内包後脚こそが，大脳皮質運動野と並んで脳卒中を生じやすい場所として重要です。

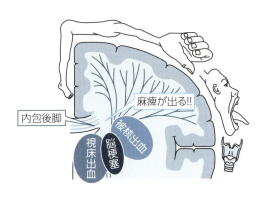
図3 内包後脚は視床と被殻に挟まれる

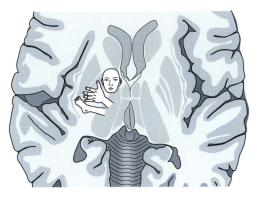
図4 内包後脚のホムンクルス

　例えば脳出血のうち，視床出血と被殻出血が9割を占め，これら視床・被殻からの出血はすぐ隣の内包後脚へ神経障害をきたし，片麻痺や顔面神経麻痺を起こします。さらに内包後脚は虚血に陥りやすく，ラクナ梗塞やBAD（☞**コラム参照**）の好発部位です。小梗塞でも狭い場所に運動神経線維が密集しているため片麻痺を起こします。このように内包後脚は出血も梗塞も起こしやすい，臨床的に重要な場所です。

ラクナ梗塞より悪いBAD

　BAD (branch-atheromatous disease) はラクナ梗塞より大きな小梗塞です。ラクナ梗塞は1.5cm未満ですが，BADはこれより大きいサイズです。ラクナ梗塞が枝分かれ後の末梢血管の閉塞で起こるのに対し，BADは枝分かれ前の根元で詰まるため梗塞範囲がやや大きく，より悪い梗塞となります。梗塞の原因動脈硬化（粥腫）によるため分枝粥腫型梗塞と訳されます。

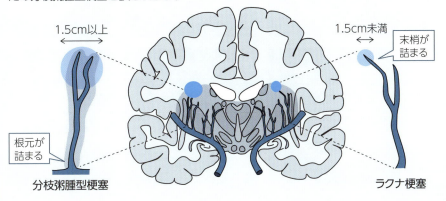

解答 脳出血編

それでは，塗り絵の答え合わせをしてみましょう．

まずは脳出血（解答例1）からです．脳出血のうち，4割強が視床出血，4割強が被殻出血であり，この2つで9割を占めます．解答例1のように，視床出血が内包後脚まで生じている場合は，右手の麻痺を起こすのがコモンです．

解答例1 視床出血

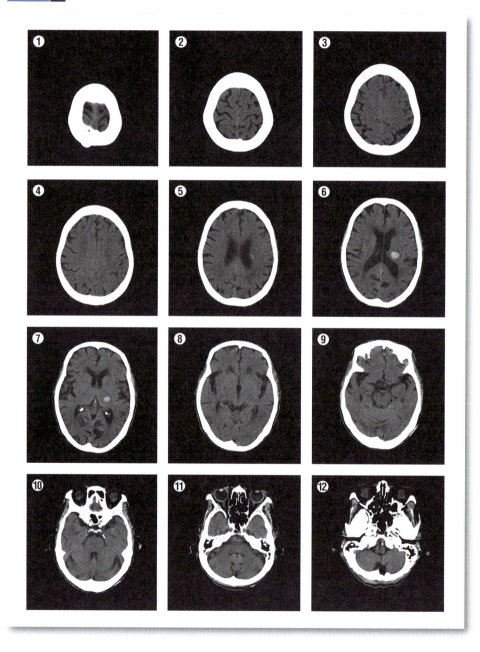

被殻出血（**解答例2**）も同様に，内包後脚まで出血が及ぶことで神経症状をきたします。内包後脚にある右手の運動神経の前後には，顔面と下肢の運動神経がそれぞれ並走しているため，上肢麻痺に下肢麻痺や顔面麻痺が伴うことも多いです。実際に本項の症例も，右上肢麻痺以外に「ご飯をこぼす」という顔面神経麻痺の症状を伴っています。

解答例2 被殻出血

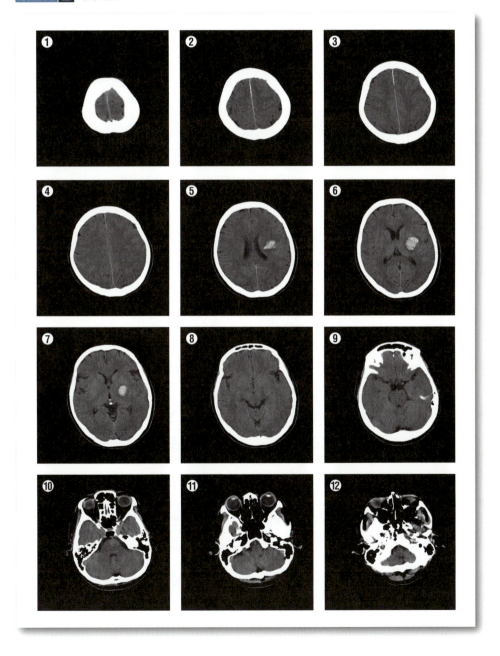

解答　脳梗塞編

　ラクナ梗塞やBADにより内包後脚そのものが虚血になることは少なくありません。解剖学的に内包後脚を栄養している血管が虚血に至りやすいのが原因です。解答例3のように，左半球を下行する運動神経線維がピンポイントで虚血になることで右上肢麻痺をきたします。

解答例 3　ラクナ梗塞

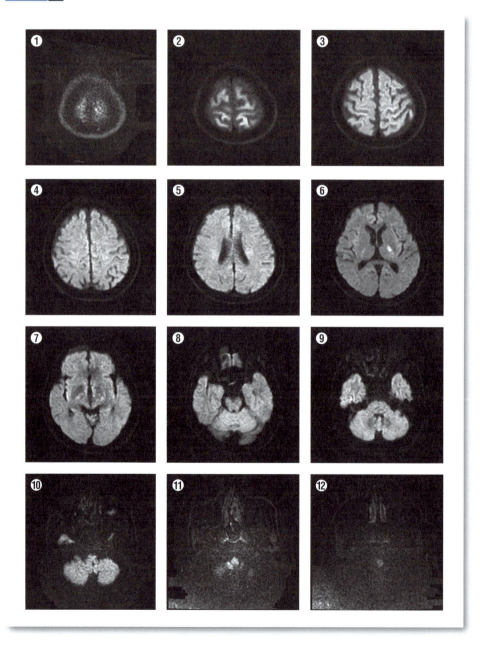

解答例4のように，広範囲な脳梗塞が左の大脳皮質運動野を虚血に至らしめ，右上肢麻痺をきたすことも多いです．解答例4にある範囲は中大脳動脈という梗塞に陥りやすい血管で栄養されています．

◎

本項では，出血と虚血それぞれ2つずつ，計4つの右上肢麻痺をきたす脳卒中の解答例を挙げました．他のパターンもありますが，コモンなものとしてまずこの4つを必ず予測できるようになって下さい．

解答例 4　大脳皮質脳梗塞

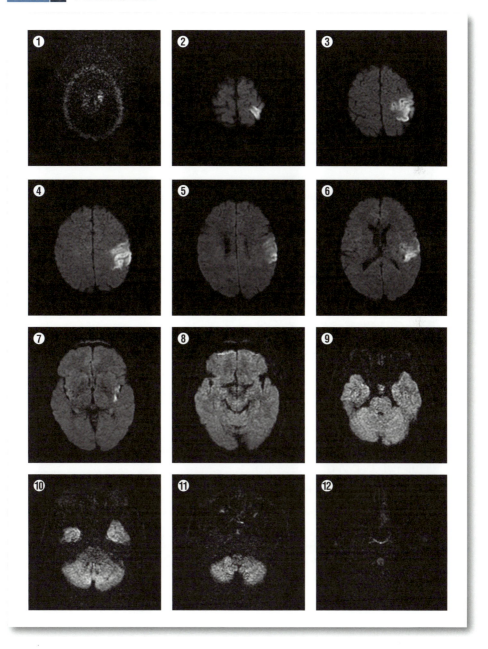

大脳皮質もピンポイントで異常を指摘する

　前述の視床出血・被殻出血・内包後脚のラクナ梗塞の3つは，解剖学的に麻痺病巣をピンポイントで指摘したと言えます．しかし，大脳皮質運動野の場合はピンポイントとは言えずかなり大雑把でした．もし，より狭い範囲の大脳皮質梗塞ならば，麻痺と一致するかどうか，より詳細な評価が必要です．大脳皮質運動野がどこに位置するかを顔面・手・足レベルで指摘できるような解剖の知識を確認していきましょう．

　まず，大脳皮質運動野は中心溝の直前に位置します（図5）．大脳皮質運動野は中心溝の前なので中心前回と呼ばれます（ちなみに後ろは中心後回で感覚野です）．大脳皮質運動野（≒中心前回）を探す目印が中心溝で，まずは中心溝の見つけ方を解説していきます．

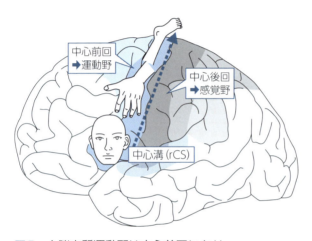

図5　大脳皮質運動野は中心前回にあり

中心溝（rCS）はどうやって探すか？

　中心溝の同定には慣れが必要ですが，覚えて習慣にしてしまえば必ず誰にでもできます．食わず嫌いをせず，まずやってみて下さい．本項では3つのルールを用いて中心溝を探してみます．

1）ルール1：pM bracket sign

　中心溝のすぐ後ろにはpars marginalis（pM）という溝があります．頭頂部から探し始めると，pMは左右に繋がっているので比較的見つけやすいです（図6）．なお，以降，pMのような溝の名称がたくさん出てきますが，非専門医は名称は覚えなくてOKです．ただし，名称が言えなくても溝の場所と形は視覚的にパターン認識できるようにして下さい．

2）ルール2：中心溝の後ろ，Y字の溝を使うBifid PoCS sign

pMは見つけやすいのですが，判断できないときはpMを外側から挟み込むようにY字の溝（PoCS）がありますので，これをヒントにします（図7）。さらに，中心溝はI字で枝分かれしませんが，すぐ後ろのPoCSはY字ですので，IとYの区別から中心溝を同定することにも役立ちます。

3）ルール3：中心溝の前，Y字の溝を使う

中心溝の直前の溝は中心から外側に向けてY字に枝分かれします（SFS-PrCS）。前からSFS-PrCS（外側にY字）→中心溝（I字）→PoCS（内側にY字），という形になります（図8）。これらの形をパターン認識します。

……といっても覚えられないという声も聞かれますので，筆者がセミナーで紹介している顔芸を図9に挙げます。

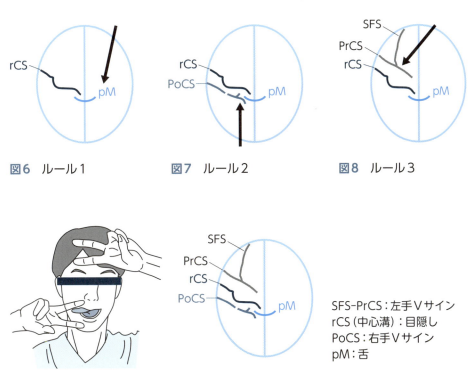

図6　ルール1　　　図7　ルール2　　　図8　ルール3

図9　顔芸で覚える「中心溝の見つけ方」

SFS-PrCS：左手Vサイン
rCS（中心溝）：目隠し
PoCS：右手Vサイン
pM：舌

中心溝を探すのは，主に大脳皮質脳梗塞を疑う症例の場合ですので，MRIのFLAIRやDWIを選択し検索します。なお，ヒトには個体差があるため，3つのすべてのルールがピタッと当てはまらない場合もあり，その場合は2つルールが当てはまればOKとします。

? Quiz 中心溝を探せ

では，実際に中心溝を同定して，その前方にある運動野を推定してみましょう。3つ問題を出しますので是非挑戦して下さい。

中心溝を探せ：その①

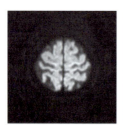
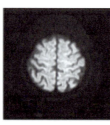
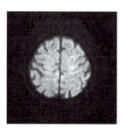

中心溝を探せ：その②

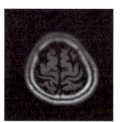
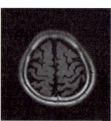
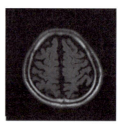

中心溝を探せ：その③

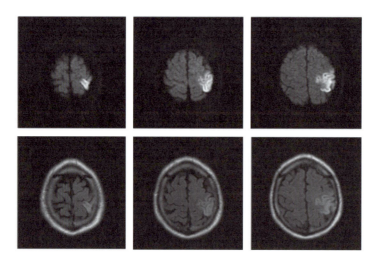

! 解答

中心溝が青矢印で，その直前が大脳皮質運動野（中心前回）です。

中心溝を探せ：その①

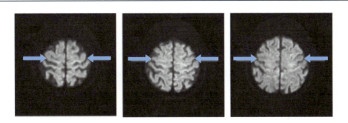

中心溝を探せ：その②

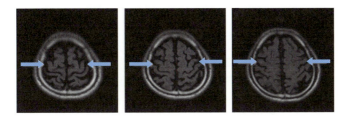

中心溝を探せ：その③

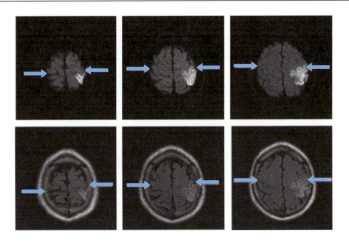

　上記のその③は右麻痺で来院し実際にt-PA静注療法を行った症例です。左の中心前回にDWI/FLAIRで一部白くなった梗塞所見がありますので，右麻痺をきたす臨床症状に一致します。さらに，この中心前回が顔面・手・足のどの部分なのかを確認できればより詳細な指摘ができますので，そのイメージング方法を次に確認していきましょう。

中心前回は同定できているので，あとはどの高さ(画像切断面)に足と手と顔が位置するかです。そこでホムンクルスとMRIの冠状断を挙げます(図10)。ホムンクルスは頭頂部から足→手→顔の順で張りついていますが，それぞれの高さ(画像切断面)で"おおよそ"どの部分が足・手・顔なのかをイメージしてみましょう。

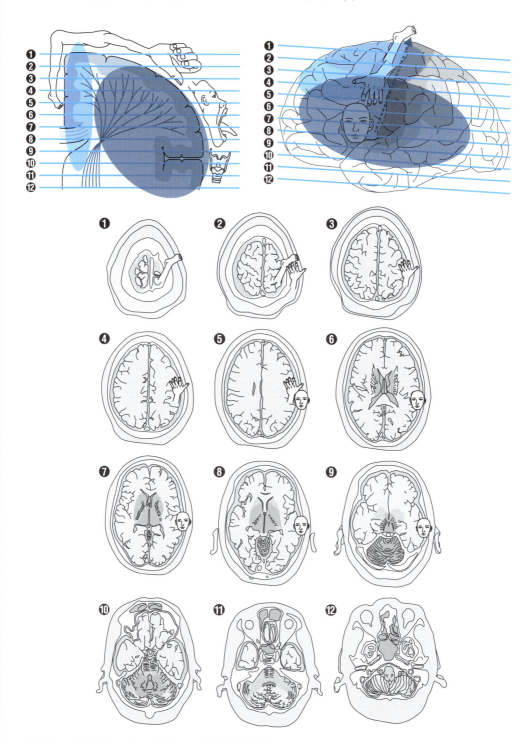

図10　大脳皮質ホムンクルスとMRIの冠状断

秘技伝授!! 脳卒中の電話コンサルト方法

まず，次のコンサルトを受けた脳卒中担当医の気持ちになってみて下さい。

研修医A「麻痺で来院した，60歳の女性です。糖尿病と高血圧があります。診察で右上肢と右顔面に麻痺がありました。CTで異常はなく，MRIのDWIで左のMCA領域に梗塞巣がありました。最終覚知が午前8時頃です。NIHSSで20点で，t-PAの実施を迷っています」

研修医B「60歳女性の脳梗塞患者です。2時間前発症でt-PAの実施の決定をお願いします。診察では右上肢・右顔面に麻痺がありDWIで左MCA領域に梗塞巣がありました。抗凝固・抗血小板薬の内服はなくNIHSSは20点です」

同じ内容を伝えているのに，研修医Bのほうが聞きやすいのはなぜか？
その理由とともに，スマートなコンサルトのための3つのポイントを紹介します。

ポイント1　「主病名」・「具体的にして欲しいこと」を一息で言い切る

2つの要点を10秒で言い切ることが，電話コンサルトの肝です。この最初のスタートダッシュ，名付けて"10秒コンサルト"。病態によっては，10秒コンサルトだけで救急外来へ駆けつけてくれる専門医も少なくありません。脳卒中に限らず急病のコンサルトでは回りくどい病状説明より，何をしてほしいかを最初に手短に伝えるほうがアクションしやすいのです。

ポイント2　神経症状と関連する画像所見を一文で伝える

脳卒中のコンサルトで，「画像で白いので，あとはよろしくお願いします」というのは御法度です。本書で学んだ臨床症状に沿ってピンポイントに指摘した画像所見を一文で伝えましょう。
　例：「●●という神経症状があり，MRIで■■という所見がありました」

ポイント3　サラサラの薬の使用有無と重症度スコアを伝える

脳梗塞でも脳出血でも，抗凝固・抗血小板薬の使用の有無を伝えます。また血栓溶解療法の適応症例であればNIHSSを，心原性塞栓であればCHADS$_2$など必要なスコアを伝えられれば完璧です。

この3つのポイントならば，すべて20秒で伝えることができます。是非，明日のコンサルトから利用してみて下さい。

病変部位診断から病変血管診断へ

　神経症状から梗塞部位を同定する作業「病変部位診断」に続き，梗塞血管を同定する作業「病変血管診断」について解説します．この作業は心筋梗塞の診断戦略に似ています．もしⅡ・Ⅲ・aVFでSTが上昇した心電図をみれば超音波検査で下壁梗塞を確認し，冠動脈造影で右冠動脈閉塞を確認し治療へ移行します（図11）．同様に右上肢麻痺を診療した場合は，左大脳皮質運動野にMRIで新鮮梗塞所見を確認し，MRAで中大脳動脈（MCA）の閉塞を確認するといった具合です（図12）．ここで登場した"MCA"は脳梗塞画像診断で大変重要な血管になりますので，より詳しく解説していきます．

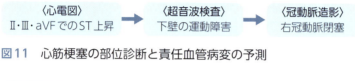

図11　心筋梗塞の部位診断と責任血管病変の予測

図12　脳梗塞の部位診断と責任血管病変の予測

MCAを制する者は，脳卒中画像診断を制する

　MCAは他の血管に比べ虚血や梗塞になりやすいという特徴があり，脳卒中の必発部位であることが重要な理由です．そこで非専門医でも必須のMCAの解剖を覚えてもらうために，とっておきの方法"脳血管体操"をご教授します．まず皆さんの両手を広げて親指を左右の耳の穴に入るところまで入れ，人差し指から小指で頭を抱えるようにして下さい（図13）．手指を血管に見立てたとき，MCAのおおよその血管支配領域と一致します．同様の方法で前大脳動脈（ACA）も覚えます．両手を広げて親指を左右の鼻の穴に入るところまで入れて下さい．左右の手は合掌の形にし，そのまま余った人差し指から小指が額からズブズブと頭の真ん中に入っていくイメージです（図13）．これがACAの支配領域です．

　MCAが主に外側から包み込むように大脳へ血液を届けるのに対し，ACAは大脳のど真ん中から栄養していきます．

◎

　大脳皮質運動野で顔面と手（足の一部）はMCA領域，足の大部分がACA領域です（図14）．顔面四肢の麻痺が起こったときに大脳皮質運動野梗塞を疑い，責任血管としてMCAを考える病変部位診断と病変血管診断を再度確認して下さい（図12）．

　このイメージを持って，前出の図10を見て下さい．MRIの冠状断の画面にMCAの血流が透けて見えればイメージとして完璧です．

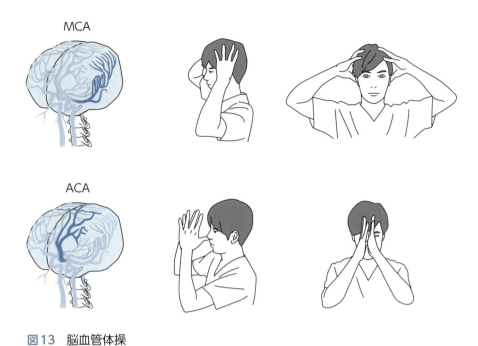

図13　脳血管体操

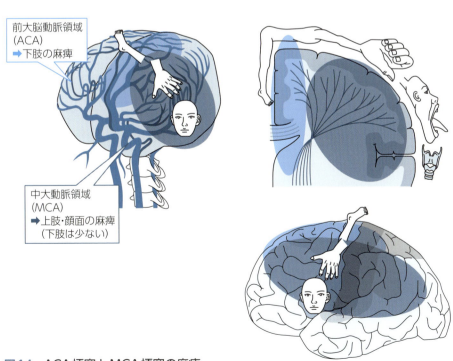

図14　ACA梗塞とMCA梗塞の麻痺

MCAをさらに細かく見ていく

　心筋梗塞における冠動脈造影検査は専門医が実施・評価する検査です。非専門医は自ら実施できない検査ゆえ血管閉塞部位の評価までは求められません。しかし，脳梗塞におけるMRAは非専門医でも手に入り，脳血管の閉塞部位評価は非専門医にとって必須の知識なのです。これは非専門医と専門医のコミュニケーションが円滑になるだけでなく，血管内治療の適応判断に利用されるからです。非専門医でもコンサルト時にどこの脳血管が詰まっているか指摘できないといけません。とはいっても一度理解すれば簡単で，誰でもできますので一緒に挑戦してみましょう。

　心筋梗塞の場合，右の冠動脈梗塞があったときに「＃１」や「＃４」などと血管の細かい場所をナンバリングしているのを一度は聞いたことがあるでしょう。これと同じようなことをMCAでもしてみるのです。このMCAのナンバリングは実はとても簡単で，曲がったところで数字が変わるだけです（図15）。

　実臨床ではM1の途絶なのか，それより末梢のM2/M3の途絶なのかを評価できればOKです。なぜならば，血管内治療はM1の梗塞が適応で，M2より末梢は適応外だからです（☞Part 5-②148頁参照）。

　是非，次回からMRAで閉塞場所のナンバリングにチャレンジしてみて下さい。

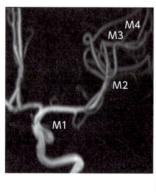 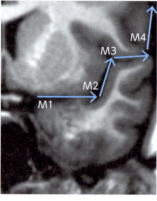

M1:水平部 horizontal seg.
M2:島部 insular seg.
M3:弁蓋部 opercular seg.
M4:終末部 terminal seg.

図15　MCAのナンバリング

MCAの閉塞部を評価すべし
- ☑ M1での閉塞は血管内治療の適応
- ☑ M2以降の閉塞は血管内治療の適応外

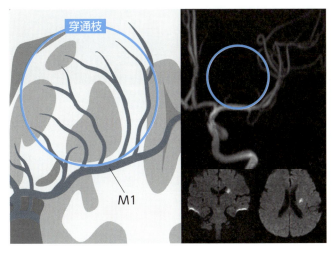

図16　M1の穿通枝が閉塞してもMRAでは見えない

さらにMCAが大切な理由

　MCAの支配領域で最初の水平部分（M1）からは穿通枝という細かい血管が出ています。この穿通枝は視床や被殻，さらにその間の内包後脚へ血液を運んでいます。細く枝分かれする解剖学的な性質から，梗塞に陥りやすく，また逆に出血もしやすい場所なのです。疫学的に脳出血の9割が視床・被殻出血であること，ラクナ梗塞やBADが内包後脚に起こりやすい理由がここにあります。

　ところで内包後脚のラクナ梗塞やBADがあった場合，M1の穿通枝が責任病変ではありますが，MRAでは見えません（図16）。細かすぎてMRAでは正常の穿通枝自体の描出が難しいためです。

◎

　Part 4-①では，麻痺所見からどの部分に異常が予測されるか，その部位診断について，出血・梗塞それぞれのケースを勉強しました。さらに，部位診断から，責任血管を理解・把握することが重要です。

麻痺症状の脳卒中画像の読影ポイント
- ✓ 片麻痺のCTでは視床出血と被殻出血に所見がないか探す
- ✓ 片麻痺のMRIでは大脳皮質・内包後脚に所見がないか探す
- ✓ 大脳皮質の脳梗塞は広範囲のため，運動野を探すために中心溝が同定できる必要がある
- ✓ 最後に責任血管を同定。梗塞血管⇔梗塞巣⇔神経症状がシンクロしているか確認する

2 症状からみる脳卒中画像診断：2
―ピンポイントで画像予測：塗り絵式勉強法＜しびれ・失語編＞

　Part 4-①では麻痺患者さんの画像診断でどの部分に狙いをつけて読影するかを解説しました。さらに本項では麻痺以外の症状や，ミスしやすい脳卒中の画像所見について解説していきます。本項とPart 4-①を勉強すれば，当直で遭遇する多くの神経症状に対し，画像判断できるようになりますよ。まず1例目の症例です。

> **症例1**
> - 60歳男性。来院日昼ごろから左の口の周りのしびれが出現，心配で夕方に救急外来受診。
> - 既往：高血圧で内服加療中。
> - バイタル：血圧160/95mmHg，心拍数80（整），呼吸数12，体温36.0℃で安定している。

　さて，画像の予測の前にクイズです。
　「問診で1つだけ聞くとしたら何を聞きますか？」

しびれの患者さんの診察

　このクイズに対し，ある研修医は「どの範囲がしびれているかを聞きます」と答えました。理由は「玉ねぎの皮のようにしびれの範囲が同心円状であれば，より高位で，脳卒中を疑いますが，三叉神経領域であれば末梢と重症度が違う（図1）からです」とのこと。なかなか優秀です。
　また別の研修医は「しびれなのか，感覚がないのかを聞きます」と答えました。理由は「温痛覚障害と，触覚障害で病変部位が予測できる（図1）からです」とのことでした。

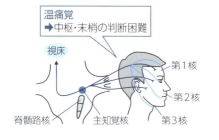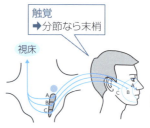

図1　顔面のしびれの原因は？

2人とも理論的・神経生理学的には正しい質問ですが，残念ながら実臨床では不十分です．もっと疫学的な視点から，よくある症状と病態を狙った質問をぶつける必要があります．ずばりクイズの答えは「手もしびれませんか？」です．

解剖生理＋疫学でとらえる

Arboixら[1]は，ラクナ梗塞の227人の患者で顔・手・足のどの部分に麻痺やしびれがあったかについて報告しています（表1）．特記すべきは，しびれの範囲のうち顔・手・足の単独の患者は1人もいなかったことです．しびれは必ず顔&手，手&足，顔&手&足と複数箇所でした．これは，しびれに麻痺が伴っていても同じで，顔・手・足の単独の感覚障害は脳梗塞ではない（あっても非常に稀）という疫学的な情報です．

表1　ラクナ梗塞における神経症状の割合

	顔+ 手+ 足+	顔+ 手+ 足−	顔+ 手− 足+	顔+ 手− 足−	顔− 手+ 足−	顔− 手− 足+
麻痺＋	41%	2%	5%	3%	2%	2%
麻痺＋，しびれ＋	13%	4%	2%	0%	0%	0%
しびれ＋	14%	0.5%	0.5%	0%	0%	0%

（文献1より改変引用）

この疫学的な視点からクイズを再考しましょう．もし顔面のみで口の周りのしびれだけであれば，疫学的には末梢神経障害であり中枢神経障害はかなり否定的です．しかし実臨床では本人の認識が乏しいため，医師が問いただして初めて手や足の感覚障害に気づくことは稀ではありません．

実際に今回の症例は以下の通りでした．

医師「手もしびれていませんか？」
患者「そういえば，口と同じしびれが左手にだけ少しあります」

顔面＋手のしびれ症状があります．これならば中枢性を疑い画像検索が必要です．Part 4-①同様に"塗り絵"といきましょう．今回の病変がどこにあるか予測してみて下さい．

 MRIでどこに所見がありそう？

（用紙は99頁）

解答 症例1

では今回の症例の画像を提示します。どこが異常かわかりますか？

解答例

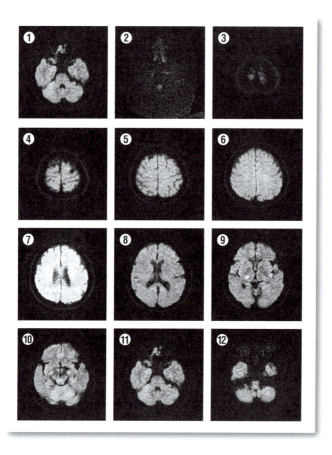

今回の答えは本当にピンポイントです。⑨のスライスの視床に1箇所だけ所見があるのがわかりますか？ この部分が本症例の脳卒中の病巣であり，しびれの原因として一致します。知る人ぞ知る「手口感覚症候群」という疾病が，今回の答えです。

手口感覚症候群 (cheiro-oral syndrome) とは？

解剖生理の復習です。顔と手の感覚神経線維は脊髄を上行し，視床（視床感覚中和核）を経て大脳皮質感覚野に到達します。この視床上行部分は視床感覚中継核と呼ばれ図2のようなホムンクルスが存在します。手口感覚症候群は視床で近接した手・口領域が小梗塞や小出血で同時に障害され，しびれ症状をきたします。視床はMCAのM1の枝の穿通枝による虚血や出血が多いのでしたね (☞ Part 4-①，114頁参照)。小出血や小梗塞でも，近接しているため必ず複数の感覚神経線維が障害されます。そのため顔・手・足の単独感覚障害は稀で，多

くは顔＆手，手＆足，顔＆手＆足といった複数箇所で同時感覚障害となります（表1）。

さて，大きな視床出血で病変が内包後脚まで及べば，しびれに加え麻痺をきたします。また，大脳皮質の運動野から感覚野までの広範囲梗塞でもしびれに麻痺が加わりますが，実はこの際の診断は難しくありません。麻痺＋しびれの場合は，主訴も麻痺で来院することが多く，非専門医や患者さん自身が「麻痺があれば脳卒中を疑う」という発想で画像検索がなされ，画像の病変も大きいので見逃しが少ないのです。

しかし微妙な手や口のしびれだけで手口感覚症候群を疑い，画像検査を実施し，さらに"ピンポイント"で視床梗塞を指摘することができるか，皆さん非専門医の前に患者が現れたときにいかに見逃さず疾病を拾い上げることができるかが，今後の課題です。

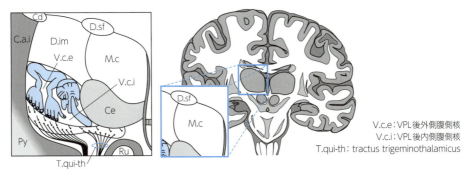

V.c.e：VPL後外側腹側核
V.c.i：VPL後内側腹側核
T.qui-th：tractus trigeminothalamicus

図2 視床感覚核のホムンクルス（前額断）

しびれ患者の診察・読影ポイント

☑ 1箇所のしびれでも，2箇所以上のしびれがないかを確認する
☑ 顔・手・足のうち1箇所のしびれなら末梢神経障害，2箇所以上あれば脳卒中疑い（例：手口感覚症候群）
☑ 手口感覚症候群を疑えばピンポイントで視床の出血・梗塞を探すべし

では，2例目です。次の患者さんはどこに病変があるでしょうか？

症例2

- 60歳男性。何を聞いても「はい」と答えるため，家族が心配して救急要請。既往は特になし。
- バイタル：BP 160/100，HR 80，RR 16，BT 36.7℃。
- 身体所見，上肢MMT：右上4/5，左5/5，顔面・下肢麻痺はなし。

 **MRIでどこに所見がありそう？**

塗り絵をしてみよう!!

（用紙は99頁）

解答 症例2

解答例

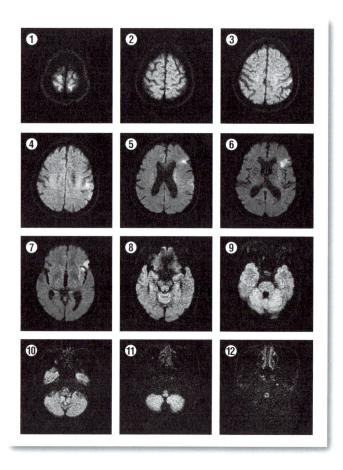

症例2の梗塞部位も左MCA領域で，左上肢麻痺＋失語となる箇所に病巣を認めます。

運動失語と感覚失語

今回は失語と右上肢麻痺の症例です。まず失語について復習しましょう。運動失語は口にガムテープを貼って会話している状況を想像して下さい。聞き取りができても，伝えたいことはまったく言えない状況です。一方で感覚失語は耳を完全にふさいで会話している状況を想像して下さい。聞き取りはできませんが言葉を発することはできます。運動失語は運動言語野の障害，感覚失語は感覚言語野の障害で起こりますが，それぞれどこに位置するのか解剖生理を理解し脳卒中所見の画像診断をしていきましょう。

- 運動失語（Broca失語）：運動言語野の障害で言葉が出ない（例：口にガムテープ）
- 感覚失語（Wernicke失語）：感覚言語野の障害で言葉が理解できない（例：耳栓）

失語をきたす画像所見はどこにある？

解剖学的に感覚言語野はシルビウス裂のすぐ後ろ、運動言語野はシルビウス裂の少し前と覚えて下さい（図3）。ちなみに右利きの9割が左半球に、左利きでも5割が左半球に言語野があります。したがって運動失語・感覚失語ともに左MCA領域となり、<u>失語は右上肢麻痺に伴うことが多いです</u>。右上肢麻痺で広範囲の脳梗塞の場合に病歴・身体所見が取れないときも、重症脳梗塞で意識障害というより失語を想定して身体診察をします。

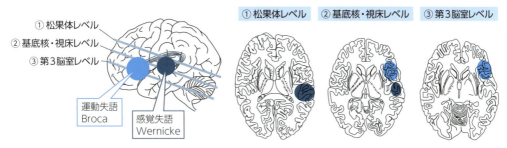

図3 感覚言語野と運動言語野

3例目はPart 4-①と同一症例です。Part 4-①ではこの際の責任病変として脳出血（視床出血・被殻出血）、脳梗塞（大脳皮質・内包後脚）の4つが多いことをお示ししました。今回はその応用として、見逃しやすい脳梗塞がさらに2つありますが、はたしてどこでしょう？　また塗り絵をしてみて下さい。

症例3

- 来院日の朝食時、いつもよりご飯をこぼす。
- 昼ごろ、たばこの火がつけられないとイライラする。
- 夕方、心配した息子がERに連れてきた。
- 既往歴：不整脈で当院がかかりつけ医。
- バイタル：BP 160/100, HR 80, RR 16, BT 36.7℃。
- 身体所見：上肢MMT（右上4/5, 左5/5）。
- 他の神経所見は異常なし。

 **MRIでどこに所見がありそう？**

（用紙は99頁）

解答 症例3

解答を掲載します。小さくてわかりにくいので矢印で異常部を示します。

解答例1はPart 4-①で勉強した，大脳皮質と内包後脚の間で運動神経線維を結ぶ箇所になります。この部分は放線冠と呼ばれ脳梗塞の病巣部となります。

解答例 1

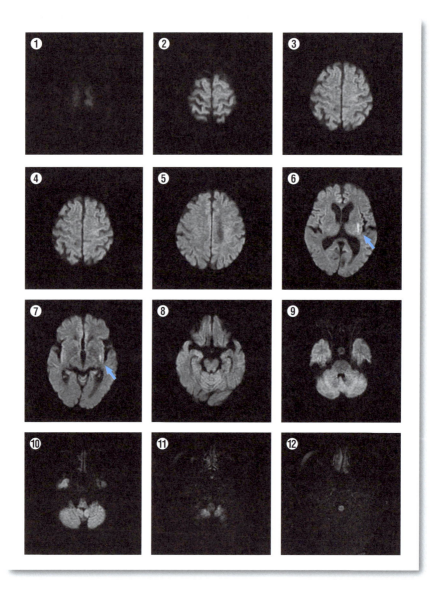

解答例2は脳幹部のラクナ梗塞です。解剖学的には中脳や橋の前脚で運動神経の通行領域となりますので，梗塞所見として考える箇所となります。

解答例 2

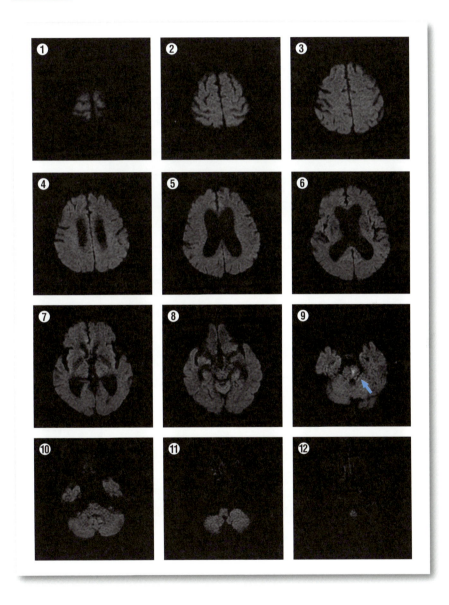

麻痺のMRIで探す4つの病巣

　実臨床で右上肢麻痺の患者さんを診療した場合に，まずはMRI検査でなくCTを実施することが多いと思います。そして左視床出血，左被殻出血があれば，画像検索をいったん終了し外来で降圧治療を開始しながら専門医へコンサルト治療を繋げます。一方，CTで所見がない場合はMRIで脳梗塞検索となりますが，その際には大脳皮質→放線冠→内包後脚→中脳／橋の前脚の4箇所をルーチンで探すようにしましょう（図4）。特に内包後脚や中脳／橋の前脚は1スライスにわずかに映る梗塞であることもめずらしくないので，ピンポイントで指摘できる必要があります。

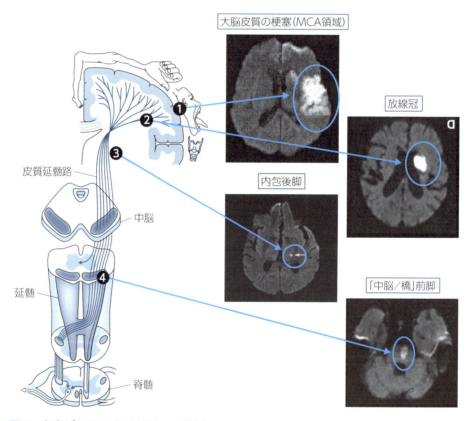

図4　麻痺があるときはMRIで4箇所チェック

　では，最後に次の2つの症例について考えてみましょう。症例4（図5），症例5（図6）は，局所神経症状はありませんが，意識障害の原因検索でMRIを実施した症例です。

Quiz

いずれも同様の病態が起こっていますが,「何が起こったか?」その病態を病歴と画像から説明できるでしょうか?

症例4
- 80歳女性, 1人暮らし。家族が訪問した際に意識障害で発見された。
- 郵便ポストに数日間新聞が溜まっていた。全身脱力はあるが, 明らかな麻痺はなかった。

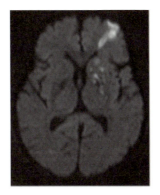

図5　MRI画像1（症例4）

症例5
- 70歳男性, 3日前から発熱があり食事も摂れなかった。病院嫌いのため自宅療養していたが, 意識混濁となり妻が救急要請をした。全身脱力はあるが, 明らかな麻痺はなかった。

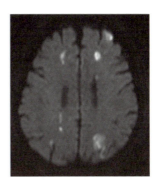

図6　MRI画像2（症例5）

症例4の頭部MRIは意識障害の原因精査で実施したものです。意識障害の原因は中枢性なのでしょうか？　画像で虚血所見はありますが, 患者さんに局所神経所見はありません。そこで高度脱水に対し輸液と全身管理をしたところ, 数時間で意識が回復してきました。したがって中枢性意識障害ではなく, 脱水による意識障害と判断しました。そこでこの画像所見の正体が気になります。実は今回の症例は分水嶺梗塞（watershed infarction）と呼ばれ, 高度脱水による"二次的な"脳梗塞なのです。

分水嶺梗塞 (watershed infarction)* とは？

　watershedという聞きなれない用語は，本来，川の流れによる自然現象を示します。川の水は枝分かれしながら大地へ水分を供給し，木々が育っていきます。川の近くは供給が十分で潤っています。一方，川岸から離れた場所では水の供給が乏しく，枯渇気味になりますが，普段は木々も育つことができます。ここへ大干ばつが起こり川の水が激減すると，最も水不足となるのは川の分枝と分枝の間です。この部分がwatershedと呼ばれ，干ばつによる水不足から木々が枯れやすい場所となります。脱水により，watershedに当たるACA/MCA領域間，MCA/PCA領域間といった分枝の間が，血流障害から脳梗塞となるのです（図7）。梗塞部位は今まで勉強した麻痺やしびれといった局所神経症状を認める領域ではないため神経症状が少ないことが一般的です。

*分水嶺梗塞：境界領域型梗塞 (border zone infarction) とも呼ばれ，感覚運動と2つの言語野の交通を遮断し，超皮質性失語という復唱が保たれている失語をきたすことがあります。非専門医にはその評価が難しいです

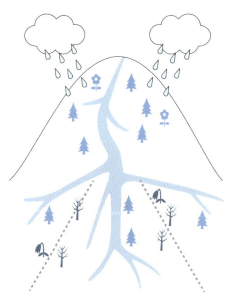

干ばつになったら河川の少ないところ（＝分水嶺）から木々や草花が枯れていく。川辺はかろうじて生き延びる。
‥‥‥：分水嶺

高度脱水の場合も干ばつ同様に，主要動脈の境界域から虚血になるため，分水嶺梗塞が起こる。
ACA (anterior cerebral artery)：前大脳動脈
MCA (middle cerebral artery)：中大脳動脈
PCA (posterior cerebral artery)：後大脳動脈

図7　分水嶺梗塞

分水嶺梗塞は誰が主治医か？

「画像を撮って白ければ脳卒中担当医が主治医」というのは，非専門医が作った寓話です．実際に分水嶺梗塞で白くなった拡散強調像（diffusion weighted image：DWI）を専門医にコンサルトしても，「当科的には問題ありません」と返されることは少なくありません．神経症状も少ない分水嶺梗塞の入院依頼を受けた脳卒中医の本音は「自分たちができるのはリハビリのオーダーだけ．それより，他の病態の管理はどうしたらいいの？」と困ることが多いのです．背景にある脱水や全身状態の悪化は，原因次第では脳卒中医の"見慣れていない病態"かもしれません．

「中枢性疾患以外でも全身管理どんと来い！」という脳卒中専門医は少ないのが実情です．それであれば分水嶺梗塞では脳卒中医に併診してもらい，彼らのサポートを受けながら全身管理の得意な非脳卒中専門医が主治医になるのがベターなことが多いです．

症状別の読影ポイント
- ☑ 麻痺：視床／被殻出血＋4つの梗塞領域（中心前回・放線冠・内包後脚・中脳／橋の前脚）を探せ！
- ☑ しびれ：手口感覚症候群を疑い視床の小梗塞・小出血を探せ！
- ☑ 失語：シルビウス裂のすぐ後ろで感覚失語・少し前で運動失語，左MCA領域で右麻痺を伴う！
- ☑ 分水嶺梗塞：原因となる脱水などの検索と治療が大切！

文 献

1) Arboix A, et al：Clinical study of 227 patients with lacunar infarcts. Stroke. 1990；21(6)：842-7.
2) Mangla R, et al：Border zone infarcts：pathophysiologic and imaging characteristics. Radiographics. 2011；31(5)：1201-14.

Part 4 脳卒中の画像診断　その身体所見と画像所見シンクロしていますか？

3 時間からみる脳卒中画像診断
―CT・MRIから脳卒中の発症時間を予測する

脳卒中における画像読影の2つのポイントを再掲載します。

> **Part 4の到達目標：症状からみる脳卒中画像診断**
> ①神経所見から画像所見を予測する。
> ②画像所見から発症時間を推測する。

Part 4-①, ②ではポイントの1つ目，「神経所見から画像所見を予測する」方法を学びましたが，本項ではもう1つのポイントである「画像所見から脳梗塞の発症時間を推測する」方法について学びます。まずはクイズから始めます。

？Quiz

脳梗塞のMRI検査で，所見が早く出る撮像法を順に3つ挙げて下さい。
可能なら，それぞれどれくらいの時間で所見が出始めるかも答えて下さい。

正解率3％の問題

筆者が行っているセミナーでは，このクイズの正解率は3％ですから外れてもがっかりしないで下さい。正解は，①MRA，②DWI，③FLAIRです。ポイントは，1番目がMRAであり，DWIではないところです。

DWIは拡散強調画像とも呼ばれる，超急性期の脳梗塞の検出に有用であるMRIの撮像条件です。ThomallaらはМ脳梗塞発症からDWIで異常が出現する時間と割合を30分（33％），60分（58％），120分（67％）と報告しています[1]。バラツキはありますが，発症から1時間以内の撮影ではまだ画像に映らない場合があるのです。一方でMRAの場合は血流障害そのものを確認しているため，途絶所見は発症直後から出現します。異常が出るのがDWIよりMRAが早期であるからくりが，ここにあります。

MRA→DWIという順番を知るべき理由

脳卒中発症直後に来院した患者さんに血栓溶解療法の適応があり，NIHSS（National

Institute of Health Stroke Scale）から流れるように画像検査へ結びつけたとします。MRIのモニターの前で技師さんが出したDWIに所見がない場合に，「軽症で慎重投与？」または「ひょっとして再灌流して適応なし？」などと考えてはいけません。すかさずMRAを確認し，もし中大脳動脈（middle cerebral artery：MCA）領域でM1が途絶していれば，超急性期の脳梗塞をpick upしたのです。すぐに脳卒中担当医へコンサルトしなければなりません。これが，MRA→DWIという順番を知っておいてほしい最大の理由です。

FLAIRの役割は？

一方で，FLAIRは発症時間の答え合わせに使います。まず，DWIでは1時間前後で異常所見が出現するのに対し，FLAIRは3時間前後から梗塞巣がisoになりはじめ，6時間で完全にhighに映ります。

脳梗塞の発症時間は問診から確認することが大原則ですが，失語があったり，「発症目撃なし＋意識障害」などにより，問診で確認できない場合も少なくありません。そのような場合は，FLAIRから発症時間を推測します。

図1にMRA，DWI，FLAIRの3つからの発症時間の推測をまとめました。これを覚えて時間の判断ができるようになりましょう。

		3時間未満	3〜6時間	6〜24時間	24時間以上
MRI	MRA	途絶	途絶	途絶	途絶
	DWI	〜iso	high	high	high
	FLAIR	所見なし	iso	high	high

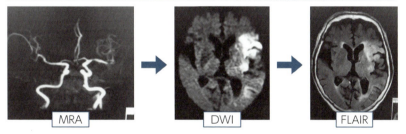

図1　時系列で見たMRIで出現する脳梗塞所見

early CT sign

early CT signは脳卒中診療の必須科目ではありません。20年以上前のMRI黎明期ならCTのみで脳梗塞診療が求められ，必要な読影能力でしたが，2020年現在で脳卒中に血栓溶解療法を実施する多くの施設は，24時間MRIが利用可能です。よって，CTだけで脳梗塞を正確に判断しようとするその"役割"は過去のものとなりつつあります。非専門医なら，「CTで出血，MRIで脳梗塞を評価する」という戦略でまずは問題ありません。

FLAIRとCTの裏ワザ

　early CT signの役割はあまりなく，FLIARは答え合わせと説明しましたが，へき地・離島など「夜間はCTだけしか撮れないが血栓溶解薬(t-PA)は置いている」，あるいは「頭部MRIは撮れるがMRAは撮れない」など，いろいろ制約のある施設では以下の所見を知っていると役立つので紹介します。

1) 頭部CTのMCA dot sign

　MCA領域に血栓が詰まると，clot（凝血塊）が白い数mmの粒として脳底槽のMCAに光って見えることがあります（図2）。これがMCA dot signです。M1の中枢側など比較的重症のMCA梗塞で認めることがあるので，失語＋右麻痺などの症例では探してみましょう。

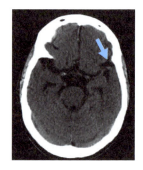

図2　MCA dot sign

2) 頭部MRI (FLAIR) のhyperintense MCA sign

　FLAIRで脳底槽のMCAがhighに映れば，その部位はMCAが血流障害となっているhyperintense MCA signです。もともとFLAIRはT2強調画像のため，水のあるところをlowに撮像する条件です。正常ではMCAの通過する脳底槽はlowに映ります。しかしT2では血流が途絶するとhighになる性質があります。

　FLAIRで，血流があれば黒く背景に溶け込むMCAが，血流障害によりhighに映っていればMRAでMCA領域が，途絶している状況が予測できます（図3）。これがhyperintense MCA signの正体です。超急性期でDWIが白くなく，MRAで判断したいが実施困難な場合，FLAIRでhyperintense MCA signを探すことでマネジメントが可能となります。

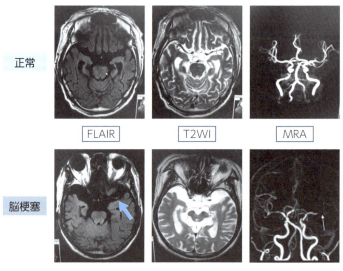

図3　FLAIRのhyperintense MCA sign

上記の頭部CTの「MCA dot sign」とFLAIRの「hyperintense MCA sign」は，MRAの「MCA途絶」とほぼ同義になります。MRAが何らかの事情で確認できない，しかし血栓溶解療法を検討しないといけない，という場合に活躍するので紹介しました。

　時系列の表にこれらの所見を追加したのが図4です。

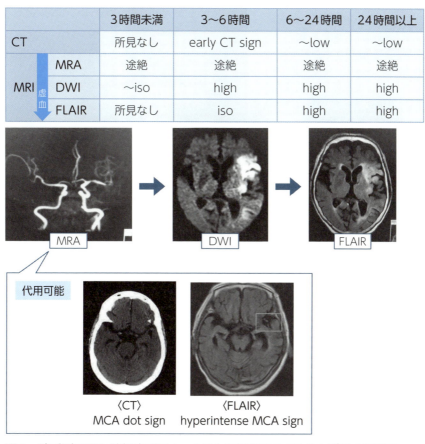

図4　時系列で見た脳梗塞所見と，MRAに相当するCTおよびFLAIR所見

DWI／FLAIRミスマッチ

症 例

認知症で有料老人ホームに入居している89歳女性。来院前日の夜9時の就寝時が最終健常覚知。来院日の朝7：40頃に施設職員が自室内で左不全麻痺となり，体動状態でいるところを発見し救急要請。8：20頃，病院に到着し8：40にMRI撮影を実施した。

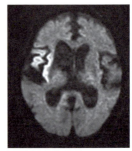
DWI

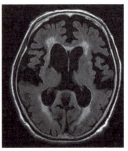
FLAIR

　MRA，DWI，FLAIRの3つを比較することで逆算的に発症時間を予測できることは解説しました。こうした急性期MRIの時間的評価は，発症時間不明例の時間予測に利用されます。

　では，今回の症例をみてみましょう。DWIで右MCA領域がhighとなっていますがFLAIRでは所見を認めない「DWI/FLAIRミスマッチ」と呼ばれる状態です。DWI/FLAIRミスマッチは3時間以内の発症を疑う所見です。

　今回の症例のように，最終健常覚知から4.5時間以上経過した発症時間不明のケースでも，発見時間から4.5時間以内，かつDWI/FLAIRミスマッチを認めれば血栓溶解療法の適応となります。

　血栓溶解療法の適応は，従来は発症4.5時間以内でしたが，現在は発見4.5時間以内，かつDWI/FLAIRミスマッチのケースも含みます。ここは初学者が失敗しやすい点なので，注意して診療にあたって下さい。

画像別・脳梗塞の発症時間推測のポイント
- ☑ MRA→DWI→FLAIRの順で虚血所見が出現する
- ☑ 超急性期はMRAのみ異常で，DWIは正常のことがある
- ☑ DWI/FLAIRミスマッチ＆発見4.5時間以内では，血栓溶解療法の適応のケースがある

文 献

1) Thomalla G, et al: Negative fluid-attenuated inversion recovery imaging identifies acute ischemic stroke at 3 hours or less. Ann Neurol. 2009 ; 65(6) : 724-32.

Part 5　ERから専門医へつなぐ脳卒中の治療
ここまでできれば免許皆伝

Part 5 ERから専門医へつなぐ脳卒中の治療　ここまでできれば免許皆伝

1 神経救急の血圧コントロール
―各病態で違う専門医到着前の血圧目標値

「神経救急の降圧治療」は非専門医の仕事と筆者は考えます。専門医の到着後，一緒に血圧管理をするのでは遅いのです。専門医の来院前に血圧コントロールがついていることで，彼らは速やかな治療開始が可能となり，患者予後も改善します。

では，クイズ形式で各々の疾病における血圧の目標値を確認しましょう。

Q1　次の患者さんがA，Bの場合の血圧の目標値は？

- 70歳男性
- 来院時血圧：240/130mmHg
- MRA所見：図1

A：血栓溶解療法実施時
B：発症8時間経過時

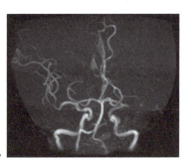

図1　MRA所見

脳梗塞の血圧目標

　血栓溶解療法（t-PA治療）の適応例では，血圧を収縮期血圧（BPS）＜185mmHgかつ拡張期血圧（BPD）＜110mmHgにしてからt-PA治療を開始します[1)2)]。早めの降圧がdoor to drug timeを短くするので，この値は絶対に覚えておく必要があります（☞Part 3-1参照）。

　一方で，t-PA治療の適応がない場合はBPS＞220mmHgとBPD＞120mmHgでは降圧を考慮し，15％ほど降圧します[1)2)]。上記のクイズ症例は血圧が240/130mmHgで来院しており，200/110mmHgを目標にします。降圧後もかなり高い値のため，この程度の降圧でよいのかと心配になります。「脳梗塞の場合は血圧が高めのほうが虚血後の脳循環が良くなるため許容する」との考えもありますが，実際に降圧は神経予後や転帰にどう影響するのでしょうか？

　脳梗塞急性期の降圧に関して，ACCESS study，CHHIPS trial，COSSACS study，SCAST study[3)〜6)]などの研究で，転帰の改善はないとしています（いずれも欧米の報告です）。アジア圏では中国のJiangらがCATIS trialを報告し[7)]，介入群では7日以内で

BPS＜140mmHg，BPD＜90mmHgとかなり降圧しても転帰に影響はなく，降圧は仮に脳循環に影響したとしても予後には影響しないのかもしれません。

　t-PA治療をしないのであれば脳梗塞の血圧の目標値は主治医の采配に委ねられるため，入院依頼をするときや外来でコンサルトするタイミングで確認すればよいでしょう。一方で，t-PA治療のときは脳外科医がきてt-PA治療のゴーサインを出す前から降圧を始めなければなりません。

　高血圧への対応の一方で，血圧が低いときはむしろ注意が必要です。分水嶺梗塞（watershed infarction）のように（☞Part 4-②参照），脱水やショックなど循環不全による二次的な脳梗塞の場合は，血圧が低ければ輸液や，時には昇圧剤を用いて脳循環を改善することが必要となります。脳梗塞の血圧管理は下げるだけでなく，状況次第で上げることも必要です。

脳梗塞の血圧目標
- ✓ t-PA治療適応時：BPS＜185mmHgかつBPD＜110mmHg（絶対暗記！）
- ✓ t-PA治療未実施時：BPS＜220mmHgかつBPD＜120mmHgでは，15％降圧（BPS＜140mmHg，BPD＜90mmHgまで降圧しても予後に影響しないかもしれない）
- ✓ 循環不全により二次的に脳梗塞になっている場合は血圧を上げ，脳循環を改善する

Column: ニカルジピン降圧に背徳感を感じるか？

　現在，脳梗塞や脳出血でも降圧薬としてCaチャネルブロッカーであるニカルジピン塩酸塩（ペルジピン®）を使う施設が多いと思いますが，2011年までは添付文書に「脳出血患者に対しては禁忌」と記載されていました。そうは言っても他に代用薬がなく，やむなく使用する際，背徳感は否めない状況でした。しかしこの禁忌の根拠もエビデンスレベルが低く，現場の状況をふまえ2011年6月に上記記載が削除され，「脳出血急性期の患者や脳卒中急性期で頭蓋内圧が亢進している患者は慎重投与」と変更になりました。国内のガイドライン[8]では考慮してもよい（グレードC1）と記載され，現在はかつての使用時の医師の背徳感は払拭されています。

> ## Q2 次の患者さんの血圧の目標値は？
>
> - 70歳男性
> - 来院時血圧：200/100mmHg
> - CT所見：図2
>
>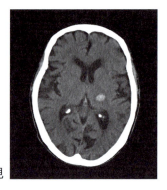
>
> 図2　CT所見

脳出血の降圧目標

　内因性の脳出血の降圧目標は「AHAガイドライン（2010）」では160mmHg未満でした[1]。しかし，その後の臨床研究で急性期脳出血はBPS 140mmHg未満に降圧することで出血の増悪が少なく，神経予後を改善すると報告されました[9,10]（残念ながら，生命予後は変わりません）。国内のガイドラインではこれらの報告を受け降圧目標をBPS 140mmHgとしています[2]。しかし，2016年に行われたもう1つの大規模多施設ランダム化比較試験（ATACH-2）においてQureshiらは，急性期の降圧で110～139mmHgと140～179mmHgとで神経予後・生命予後ともに有意差がなく，むしろ積極的に140mmHg未満に降圧したほうで腎機能障害があったと報告しました[11]。

　目標値140mmHgがベターであるかはエビデンスが揺れているところです。ガイドラインの追補2019でも，「脳出血急性期の血圧は，できるだけ早期に収縮期血圧140mmHg未満に降下させ，7日間維持することを考慮してもよい（グレードC1）」との記載にとどまっています[8]。このような場合は一度専門医にコンサルトするタイミングで目標値を確認，その後カンファレンスなどで意見をすり合わせて，院内でコンセンサスを得ておくとよいでしょう。

> ### 脳出血の降圧目標
> ✓ 専門医にコンサルトするタイミングで目標値を確認（BPS 140mmHgが主流であったが，エビデンスが揺れている）

Q3 次の患者さんの血圧の目標値は？

- 70歳男性
- 来院時血圧：150/90mmHg
- CT所見：図3

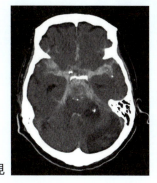

図3 CT所見

くも膜下出血の降圧目標

　くも膜下出血の血圧管理については，結論から言うとエビデンスがなく，ガイドラインにも明記されていません。

　降圧したほうが再出血は予防できそうな気がしますが，重症例では不用意な降圧が虚血をまねく可能性もあるとされます。国内のガイドライン[12]では「BPS＞160mmHgで再破裂のリスクが上がるため前値の80％を目安とする」との記載とともに「東北の多施設研究で再出血の多くがBPS 120～140mmHgだった」と併記しています。別のガイドライン[2]もやはり明確な降圧目標を示してはいません。

　このように血圧目標値はストロングエビデンスがないため，主治医の考えに委ねられます。筆者の経験ではありますが，BPS 120mmHg未満をリクエストする脳外科医が多い印象です。実際はくも膜下出血を見つければすぐに脳外科医にコンサルトするので，そのタイミングで降圧目標値を聞いています。

くも膜下出血の降圧目標
 コンサルトのときに専門医に確認する（エビデンスがないため）

Q4 次の患者さんの血圧の目標値は？

- 70歳男性，単独頭部外傷
- 来院時血圧：105/70mmHg
- CT所見：図4

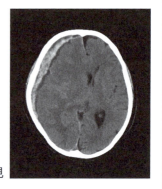

図4　CT所見

頭部外傷では"高血圧の是正"でなく"低血圧の是正"

　外傷の場合は出血時の降圧にエビデンスはありません。むしろ，単独頭部外傷では，低血圧が脳損傷患者ではかえって転帰を悪化させる可能性があるため，輸液してBPS 110mmHg以上，MAP 90mmHg以上をめざします[13)14)]。頭部外傷は"高血圧の是正"ではなく"低血圧の是正"が必要なのです。

　一方で，多発外傷ではBPS 90mmHgまでなら血圧が低いほうが出血は弱まるので，低血圧を許容する（permissive hypotension）という概念があります。もし多発外傷で体幹出血＋頭部出血の場合も"低血圧の是正"という方針は，損傷臓器によらず同一で，BPS 90mmHgを下回るようであれば積極的に輸液し，止血をしてBPS 90mmHg以上をめざします。

> **頭部外傷の血圧目標**
> ☑ 単独頭部外傷はBPS 110mmHg以上，MAP 90mmHg以上を，多発外傷はBPS 90mmHg以上をめざし輸液・輸血・止血をする

　脳卒中や頭部外傷の血圧は毎年のように新しい研究報告がなされ，目が離せません。新しい報告のたびに目標値が揺れ動くため，非脳外科医はこれらの情報を可能な限り確認しながら，コンサルトする専門医とこまめに意見をすり合わせて院内のコンセンサスを共有することが大切です。

血圧目標一覧表

●脳梗塞
・t-PA治療適応時：BPS＜185mmHgかつBPD＜110mmHg（絶対暗記！） ・t-PA治療未実施時：BPS＜220mmHgかつBPD＜120mmHgでは，15％降圧（BPS＜140mmHg，BPD＜90mmHgまで降圧しても予後に影響しない可能性） ・循環不全により二次的に脳梗塞になっている場合は血圧を上げ，脳循環を改善する
●脳出血
・専門医にコンサルトするタイミングで目標値を確認（BPS 140mmHgが主流であったが，エビデンスが揺れている）
●くも膜下出血
・コンサルトのときに専門医に確認する（エビデンスがないため）
●頭部外傷
・単独頭部外傷はBPS 110mmHg以上，MAP 90mmHg以上を，多発外傷はBPS 90mmHg以上をめざし輸液・輸血・止血をする

文 献

1) Jauch EC, et al: Guidelines for the early management of patients with acute ischemic stroke: a guideline for healthcare professionals from the American Heart Association/American Stroke Association. Stroke. 2013; 44(3): 870-947.
2) 日本脳卒中学会脳卒中ガイドライン委員会：脳卒中治療ガイドライン2015. 協和企画, 2015, p186.
3) Schrader J, et al: The ACCESS Study: evaluation of acute candesartan cilexetil tTherapy in stroke survivors. Stroke. 2003; 34(7): 1699-703.
4) Potter J, et al: Controlling hypertension and hypotension immediately post stroke (CHHIPS)-a randomised controlled trial. Health Technol Assess. 2009; 13(9): iii, ix-xi, 1-73.
5) Robinson TG, et al: Effects of antihypertensive treatment after acute stroke in the Continue or Stop Post-Stroke Antihypertensives Collaborative Study (COSSACS): a prospective, randomised, open, blinded-endpoint trial. Lancet Neurol. 2010; 9(8): 767-75.
6) Sandset EC, et al: The angiotensin-receptor blocker candesartan for treatment of acute stroke (SCAST): a randomised, placebo-controlled, double-blind trial. Lancet. 2011; 377(9767): 741-50.
7) He J, et al: Effects of immediate blood pressure reduction on death and major disability in patients with acute ischemic stroke: the CATIS randomized clinical trial. JAMA. 2014; 311(5): 479-89.
8) 日本脳卒中学会 脳卒中ガイドライン〔追補2019〕委員会, 編：脳卒中治療ガイドライン2015〔追補2019〕. [http://www.jsts.gr.jp/img/guideline2015_tuiho2019_10.pdf]
9) Anderson CS, et al: Intensive blood pressure reduction in acute cerebral haemorrhage trial (INTERACT): a randomised pilot trial. Lancet Neurol. 2008; 7(5): 391-9.
10) Anderson CS, et al: Rapid blood-pressure lowering in patients with acute intracerebral hemorrhage. N Engl J Med. 2013; 368(25): 2355-65.
11) Qureshi AI, et al: Intensive blood-pressure lowering in patients with acute cerebral hemorrhage. N Engl J Med. 2016; 375(11): 1033-43.
12) 日本高血圧学会高血圧治療ガイドライン作成委員会, 編：高血圧治療ガイドライン2019. ライフサイエンス出版, 2019, p97.
13) 頭部外傷治療・管理のガイドライン作成委員会, 編：頭部外傷治療・管理のガイドライン. 第4版. 日本脳神経外科学会, 他監. 医学書院, 2019, p16.
14) Carney N, et al: Guidelines for the Management of Severe Traumatic Brain Injury, Fourth Edition. Neurosurgery. 2017; 80(1): 6-15.

Part 5　ERから専門医へつなぐ脳卒中の治療　ここまでできれば免許皆伝

2 非脳外科医が知るべき手術適応
―開頭術の絶対適応と話題の血管内治療

　非脳外科医は，開頭手術はできなくても，手術適応とタイミングは知っていなければなりません。たとえば，当直医の誰もが，急性大動脈解離は診断だけでなくスタンフォードA型かB型かを判断し，A型であれば緊急手術の準備を始めることと同様です。脳外科疾患も手術適応があるのか，またそれが緊急手術なのかを診断・判断できなければなりません。
　では，次の症例（図1）では手術適応があるのか，あれば緊急手術なのか考えてみましょう。

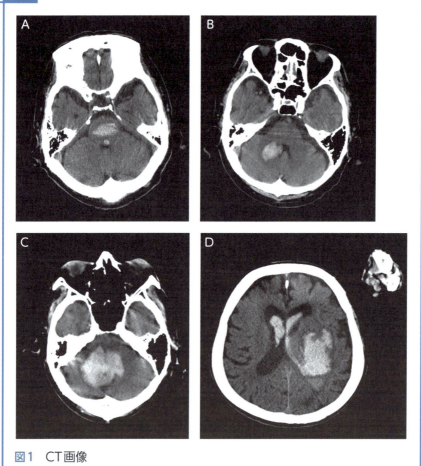

Q1 A〜Dの手術適応（緊急手術かどうかも含む）の有無は？

図1　CT画像

内因性の脳出血

　内因性の脳出血の手術は開頭血腫除去術です。この手術は画像だけでなく神経症状との合わせ技で適応を決めます。ただし神経所見が軽症な場合や重度の意識障害〔Japan coma scale (JCS) 300〕は適応がありません。極度の軽症・重症の神経所見がない場合には画像評価へ移りますが，このときのポイントは，①出血量，②出血部位です。

　①出血量については，10mL未満の小出血は手術適応がありません。②出血部位に関しては，テント上とテント下でわけます（表1）。テント下では，小脳で3cm以上の出血（または脳幹を圧排している場合）は緊急手術の適応となりますが，脳幹出血は適応がありません。テント上は視床出血は適応がありませんが，それ以外は各ガイドラインやレビューで意見がわかれるところで[1)~3)]，専門医の判断に委ねられます。

表1　脳出血の手術適応

	場所と手術適応		大きさ*（1cm以下は適応なし）
テント上	被殻	△	血腫量31mL以上でJCS 20~30の場合は考慮
	視床	×	手術適応なし
	皮質下	△	"脳表"から1cm以下では考慮
	脳室内（血腫の脳室穿破）	△	脳室拡大する場合はドレナージ考慮
テント下	小脳	○	31mL以上の出血 or 脳幹圧迫は緊急手術！
	脳幹	×	手術適応なし

＊JCS 300は手術適応なし
○：手術適応，△：手術考慮，×：手術適応なし

解答

A：脳幹出血。手術適応なし
B：小脳出血。血腫が3cm未満だが，今後手術OKの可能性あり
C：小脳出血。血腫が3cm以上で手術適応あり
D：被殻出血。脳外科医と相談し，手術ないしはドレナージ考慮

　実は図1Bと図1Cは同一症例で，Bが来院時，Cが数時間後の画像です。来院時（図1B）にJCS 1だった症例がJCS 20となり，そのときに撮ったCTが図1Cです。小脳出血では，図1Cのように出血量が多いときは脳外科医コールと同時に手術の準備も進めていきますが，Bのように少量でも，増悪し手術へ移行する可能性を考え，必ず脳外科に早期にコンサルトするようにしましょう。

　次は，外因性の出血疾患について見てみましょう（図2）。

Q2 A～Dのうち緊急手術となる症例は？（意識清明・神経症状なし）

A：側頭葉の，厚さ1.5cmの急性硬膜外血腫（神経症状なし）
B：側頭葉の，厚さ1.5cmの急性硬膜下血腫（神経症状なし）
C：側頭葉の皮下で，半径約1.5cmの範囲にわたる脳挫傷（神経症状なし）
D：側頭部の1.5cmの陥没骨折（患部に打撲痕あるが裂創なし。神経症状なし）

外因性の出血疾患はガイドラインではどう記載されている？

まず国内の頭部外傷のガイドラインで，それぞれの外傷の手術適応について，記載を見ていきます（表2）[4]。

キーワードは，①神経症状と，②1cmの2つです。

まず①の神経症状ですが，頭部外傷では大原則として，「手術適応≒神経症状があるとき」と覚えて下さい。時間経過で神経症状が悪化する場合は手術適応となります。心肺蘇生で2分ごとに脈を確認するように，頭部外傷では10～15分ごとに意識状態や神経症状を確認することをお勧めします。今回はすべて「神経症状なし」のため，この観点での手

表2 頭部外傷の手術適応

A：急性硬膜外血腫
　①厚さ1～2cm以上の血腫。または20～30mL以上の血腫（後頭蓋窩は15～20mL以上）や合併血腫の存在時には原則として行うことが勧められる（グレードA）。
　②切迫ヘルニアの所見がある場合，神経症状が進行性に悪化する場合は緊急手術を行うことが勧められる（特に，受傷後24時間以内の経時的観察とrepeat CTが必要である）（グレードA）。
　③神経症状がない場合は厳密な監視下に保存的治療を行うことを考慮してもよい（グレードB）。

B：急性硬膜下血腫
　①血腫の厚さが1cm以上の場合，意識障害を呈し正中偏位が5mm以上ある場合（グレードA）。
　②明らかなmass effectがあるもの。血腫による神経症状を呈する場合（グレードA）。
　③当初意識レベルがよくても神経症状が急速に進行する場合（グレードA）。
　④脳幹機能が完全に停止し長時間経過したものは，通常行うことは勧められない（グレードA）。

C：脳内出血・脳挫傷
　①CTで血腫や挫傷性浮腫によりmass effectを呈する症例のうち，神経症状が進行性に悪化する症例や保存的治療で頭蓋内圧充進（ICP）が制御不能な症例（グレードB）。
　②後頭蓋窩病変では頭部CT上，第4脳室の変形・偏位・閉塞を認める症例，脳底槽の圧排・消失を認める症例，閉塞性水頭症を認める症例で，神経症状がある症例（グレードB）。

D：閉鎖性頭蓋骨陥没骨折
　①1cm以上の陥没や高度の脳挫滅が存在した場合（グレードB）。
　②審美的に容認しがたい頭蓋骨変形がある場合（グレードB）。
　③静脈洞を圧迫する場合（グレードB）。

（文献4より引用）

術適応はありません。

そこで2つ目のキーワード，②1cmです．急性硬膜外血腫と陥没骨折では神経症状がなくても，血腫の厚さ（または陥没）が1cm以上あれば手術の可能性があり，速やかに脳外科へコンサルトしましょう．

急性硬膜下血腫では「血腫の厚さが1cm以上＋意識障害」が手術適応です．

この「神経症状」と「1cm」のキーワードは，救急外来における手術適応としてはガイドライン変更後も10年以上変わっていないため，非専門医が知っておく手術適応の原則として覚えておくとよいでしょう（参考文献：頭部外傷治療管理のガイドライン第3版と第4版）．

◎

さて，頭部外傷（特に急性硬膜外血腫）は神経症状改善のために"超"緊急手術となります．早ければ早いほど患者さんに良い治療ができるので，非専門医でも呼吸循環管理だけでなく，できることはすべてやる心意気があってよいと思います．筆者は急性硬膜外血腫の転院搬送中に救急車内でバリカン片手に剃毛し，ノートパソコンを立ち上げ，救急車の扉が開いたら画像がすぐに見られるようにするなど，時間短縮のためなら何でもします．

Column: 脳外科医にフォローアップCTを指示されたら

内因性・外因性によらず脳外科へ電話でコンサルトしたときに「まずは経過観察するので，画像フォローアップしておいて」とコメントをもらうことがあります．このようにフォローアップCTを指示された際に必ず，次の2点を確認して下さい．

1. 具体的にいつ次のCTを撮るべきなのか？
2. CTを実施したあとの画像を脳外科医にもう一度チェックしてもらえるのか？

コンサルトが深夜帯だったりすると，集中力が散漫になり，お互いに確認不足となってしまうことはめずらしくありません．「CTのタイミングが脳外科医の希望より遅くなってしまった」，あるいは，「CTを撮って脳外科医が診てくれていると思ったら確認されていなかった」などといった話を時折耳にします．初回コンサルトのタイミングで2回目のアクションを具体化することは大変重要ですので，確実に実施していきましょう．

内因性と外因性の頭蓋内出血の次は，脳梗塞の手術適応を見ていきましょう。

> **Q3 次の患者さんの手術適応の是非は？**
>
> - 65歳男性
> - 最終覚知は12時間前，NIHSSは24点
> - CT所見：図2
>
>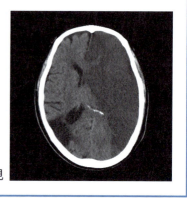
>
> 図2 CT所見

脳梗塞の手術の恩恵はどこにあるのか？

脳梗塞の治療と言えば血栓溶解療法（t-PA治療）です。虚血を解除し再灌流することで神経予後改善をめざします。一方で，脳梗塞における開頭外減圧療法は虚血を解除するわけではなく，根本治療ではありません。このときの手術目標は，ずばり"救命"です。そのため術前の脳外科の説明は，「命は救いますが，寝たきり，良くて車椅子…」と，他の手術とは異なります。この点をふまえて，脳梗塞急性期の開頭外減圧術の適応について国内のガイドラインを確認しましょう（表3）[2]。

表3　脳梗塞急性期の開頭外減圧術の適応

中大脳動脈灌流域を含む一側大脳半球梗塞において，以下の適応を満たせば発症48時間以内に硬膜形成を伴う外減圧術が強く勧められる（グレードA）。 ①年齢が18〜60歳までの症例 ②NIHSS scoreが15より高い症例 ③NIHSSの1a（意識水準）で1以上（簡単な刺激で覚醒）の症例 ④CTにて，前大脳動脈もしくは後大脳動脈領域の脳梗塞が，少なくとも50%以上あるか，拡散強調画像MRI画像（DWI）にて脳梗塞の範囲が145cm^{3}を超える症例 ⑤症状発現後48時間以内の症例

（文献2より引用）

救命手術の患者さんは中年が多く（表3の適応①），説明を受ける家族はおもに40〜50歳代の配偶者や20歳代の子どもです。その世代の家族が，救命されても重篤な神経予後が残った患者を抱えることを思うと，脳外科医は時間をかけて家族と話し合って決めたいのです。実際に家族が治療を望まない場合や，なかなか決断ができない場合もあります。同じ手術でも，急性硬膜外血腫で時に家族を待たずに開頭する場合と明らかに一線を画します。

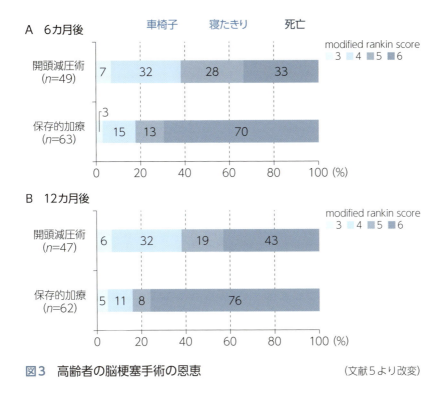

図3 高齢者の脳梗塞手術の恩恵 （文献5より改変）

そこで我々非専門医ができることは，①脳外科医が家族に説明できる静かで落ちついた場所を準備すること，②肉親というだけでなく，必ず"キーパーソンの家族"が来院する準備を整えることなのです。

高齢者はどうする？

今回の症例（図2）は，年齢以外はすべて適応条件を満たしますが，残念ながら65歳であるためガイドライン上は適応外となってしまいます。しかし，もし家族が，神経予後が悪くても救命手術を希望するような場合はどうでしょうか？

近年は60歳代前半でも元気な方は多く，適応外である61歳以上でも手術の恩恵がないとは言い切れません。Jüttlerらは61〜82歳までの高齢者での開頭減圧術の予後について報告しています[5]．それによると死亡率は手術により約70％から約30％前後へと減少を認めていますが，一方で救命できた症例の多くが寝たきり（mRS：5）か車椅子（mRS：4）となっています（☞146頁コラム参照）．救命できても重篤な神経予後となることは変わらず，手術するかどうかの決定はより慎重になります（図3）[5]．

> **解答**
> 手術適応の可能性あり．その際にキーパーソンの家族が脳外科医と面談する場所と時間をつくることが必須

脳梗塞アウトカムは生存率だけでなく神経予後を見よう

　癌や心筋梗塞の治療評価は生存率ですが，脳梗塞では加えて神経予後の評価が必須です。その神経予後の基準となるのがmodified rankin scale (mRS) です（**表4**）[2]。

　0（無症状）〜6（死亡）の7段階評価となっており，特に5：寝たきり，4：車椅子の2つは重要なので覚えて下さい。

表4 modified rankin scale (mRS) 判定基準書

	modified rankin scale	参考にすべき点
0	まったく症候がない	自覚症状および他覚徴候がともにない状態である
1	症候はあっても明らかな障害はない：日常の勤めや活動は行える	自覚症状および他覚徴候はあるが，発症以前から行っていた仕事や活動に制限はない状態である
2	軽度の障害：発症以前の活動がすべて行えるわけではないが，自分の身の回りのことは介助なしに行える	発症以前から行っていた仕事や活動に制限はあるが，日常生活は自立している状態である
3	中等度の障害：何らかの介助を必要とするが，歩行は介助なしに行える	買い物や公共交通機関を利用した外出などには介助[*1]を必要とするが，通常歩行[*2]，食事，身だしなみの維持，トイレなどには介助[*1]を必要としない状態である
4	中等度から重度の障害：歩行や身体的要求には介助が必要である	通常歩行[*2]，食事，身だしなみの維持，トイレなどには介助[*1]を必要とするが，持続的な介護は必要としない状態である
5	重度の障害：寝たきり，失禁状態，常に介護と見守りを必要とする	常に誰かの介助[*1]を必要とする状態である
6	死亡	

[*1] 介助とは，手助け，言葉による指示および見守りを意味する
[*2] 歩行は主に平地での歩行について判定する。なお，歩行のための補助具（杖，歩行器）の使用は介助には含めない

（文献2より引用）

Q4 次のうち正しいのはどれか？

A：中大脳動脈M2部閉塞の場合は，rt-PAに加えて血管内治療の適応がある
B：rt-PA非適応例では血管内治療の適応はない
C：rt-PA適応症例だが，血管内治療が早期にできる場合はrt-PAを投与せずに開始する

動画はこちら

脳カテで脳梗塞を治療する時代の到来

近年は脳外科医が"脳カテ"で脳梗塞に対する血管内治療を始めています。循環器医が"心カテ"で心筋梗塞に血管内治療を実施するのに似ています。その歴史を簡単に見てみましょう。

脳梗塞における血管内治療は2013年，NEJMに2つの文献が報告されましたが，当初，有用性は証明されませんでした[6)7)]。しかし術者の技術向上やデバイスの進歩により，2015年以降に報告された血管内治療の追試では，神経予後も死亡率も改善したと報告されました（表5）[8)~11)]。その後，米国・わが国ともにガイドラインはアップデートされ，現在，血管内治療は強く推奨されています[12)13)]。

表5 脳梗塞における血管内治療の適応

スタディ	例数(n)	治療法	アウトカム(t-PA単独 vs t-PA+手術)
ESCAPE[8)]	316	t-PA単独 vs t-PA+手術	機能的自立度の改善（29% vs 53%） 死亡率の低減（19% vs 10%）
EXTEND-IA[9)]	70	t-PA単独 vs t-PA+手術	機能的自立回復率の改善（40% vs 71%）
SWIFT PRIME[10)]	196	t-PA単独 vs t-PA+手術（6hr）	90日の時点で，機能的自立の改善（35% vs 60%） 90日死亡率は有意差なし
REVASCAT[11)]	206	薬物治療単独 vs 薬物治療+手術（8hr）	90日の時点で，機能的自立の改善（28% vs 44%） 90日死亡率は有意差なし

（文献8〜11をもとに作成）

血管内治療で非脳外科医が知るべき3つのこと

　血管内治療の開始により，治療適応「疑い」の時点で脳卒中専門医が早い段階で診療介入する病院が増加しています．一方で専門医が不在の病院では，非専門医が血管内治療の適応を正確に判断し，専門病院へ速やかに搬送することが求められています．

　そこで非専門医が血管内治療の適応について知るべき注意点は2つ，「①梗塞部位」と，「②時間」です．血管内治療の適応となる「①梗塞部位」は「内頸動脈または中大脳動脈M1部閉塞」とされます．それより末梢の場合は選択的局所血栓溶解療法の適応です．閉塞部位により治療方針が異なるため，Part 3で学んだ閉塞部位を非脳外科医でも判断し専門医へコンサルトできるようになりましょう．

　血管内治療の適応となる「②時間」に関しては，「rt-PA投与後では発症6時間以内」，「最終健常確認時刻から6時間を超えた場合（rt-PA非投与例）は，最終健常確認時刻から24時間以内」が適応となります[13]．原則rt-PAが実施できるのであれば，投与後に血管内治療を開始することは覚えておきましょう．

　そして非専門医は，「③適応疾患を見つけた場合のコンサルト先とタイミングを事前に把握」しておきましょう．来院直後に疑いの時点で自院の脳外科医へコンサルトするのか，あるいはMRIを撮ってから近隣の脳卒中センターへ連絡するのか，皆さんの所属している病院・地域ごとに確認しておきましょう．

血管内治療で非専門医が知るべきポイント
- ✓ 内頸動脈または中大脳動脈M1部閉塞は血管内治療の適応
- ✓ rt-PA投与後では発症6時間以内，最終健常確認時刻から6時間を超えた場合（rt-PA非投与例）は，最終健常確認時刻から24時間以内が血管内治療の適応
- ✓ 適応疾患のコンサルト先とタイミングを事前に把握しておく

解答

A～Cのすべて間違い

A：中大脳動脈M2部閉塞の場合は，rt-PAに加えて血管内治療の適応がある
　➡M2でなくM1

B：rt-PA非適応例では血管内治療の適応はない
　➡最終健常確認時刻から6時間を超えたrt-PA非投与例でも，最終健常確認時刻から24時間以内は血管内治療の適応がある

C：rt-PA適応症例だが，血管内治療が早期にできる場合はrt-PAを投与せずに開始する

> **手術適応とタイミングのポイント**
> ☑ すべての脳外科手術は画像だけでなく，神経症状との合わせ技で適応を決める
> ☑ 内因性：小脳に3cm以上の血腫は手術適応あり
> ☑ 外因性：硬膜外，硬膜下の血腫が1cmあれば手術適応
> ☑ 広範囲脳梗塞による手術は救命しても重篤な神経症状が残る。その決断に際し，脳外科医と家族が十分な話し合いができるような環境設定を初療医は準備すべし
> ☑ 脳梗塞の血管内治療の適応を知り，依頼する準備を非専門医も始めるべし

➡ 原則，rt-PAが実施できるのであれば投与後に血管内治療を開始する

文献

1) Jauch EC, et al：Guidelines for the early management of patients with acute ischemic stroke：a guideline for healthcare professionals from the American Heart Association/American Stroke Association. Stroke. 2013；44(3)：870-947.
2) 日本脳卒中学会脳卒中ガイドライン委員会：脳卒中治療ガイドライン2015. 協和企画, 2015, p155-9.
3) Hankey GJ：Stroke. Lancet. 2017；389(10069)：641-54.
4) 頭部外傷治療・管理のガイドライン作成委員会, 編：頭部外傷治療・管理のガイドライン. 第4版. 日本脳神経外科学会, 他監. 医学書院, 2019, p16-8.
5) Jüttler E, et al：Hemicraniectomy in older patients with extensive middle-cerebral-artery stroke. N Engl J Med. 2014；370(12)：1091-100.
6) Broderick JP, et al：Endovascular therapy after intravenous t-PA versus t-PA alone for stroke. N Engl J Med. 2013；368(10)：893-903.
7) Ciccone A, et al：Endovascular treatment for acute ischemic stroke. N Engl J Med. 2013；368(10)：904-13.
8) Goyal M, et al：Randomized assessment of rapid endovascular treatment of ischemic stroke. N Engl J Med. 2015；372(11)：1019-30.
9) Campbell BC, et al：Endovascular therapy for ischemic stroke with perfusion-imaging selection. N Engl J Med. 2015；372(11)：1009-18.
10) Saver JL, et al：Stent-retriever thrombectomy after intravenous t-PA vs. t-PA alone in stroke. N Engl J Med. 2015；372(24)：2285-95.
11) Jovin TG, et al：Thrombectomy within 8 hours after symptom onset in ischemic stroke. N Engl J Med. 2015；372(24)：2296-306.
12) Powers WJ, et al：2015 American Heart Association/American Stroke Association focused update of the 2013 guidelines for the early management of patients with acute ischemic stroke regarding endovascular treatment：a guideline for healthcare professionals from the American Heart Association/American Stroke Association. Stroke. 2015；46(10)：3020-35.
13) 日本脳卒中学会 脳卒中ガイドライン〔追補2019〕委員会, 編：脳卒中治療ガイドライン2015〔追補2019〕. [http://www.jsts.gr.jp/img/guideline2015_tuiho2019_10.pdf]

3 脳梗塞コンサルト前の患者評価
― 脳卒中医と対等に話すためのスコアリング方法

　脳梗塞は手術適応がなければ投薬メインの内科的治療となります。そのため地域によっては非脳卒中医が主治医となり投薬する，または夜間や時間外受診であれば当直医が数日分の投薬を処方する場合も少なくありません。ただし，脳梗塞の処方を学ぶ前に，「誰に，なぜ治療するのか」を知ることはとても重要です。本項ではまず，治療の適応とその理由を確認しましょう。実際の処方は次項（☞ Part 5-4 参照）で解説します。

何のために脳梗塞を治療するのか

　一過性脳虚血発作（transient ischemic attack：TIA）や脳梗塞で急性期内服・点滴治療［血栓溶解療法（t-PA治療）は除く］の最大の目標は"再発予防"であり，神経症状の改善ではありません。バイアスピリン®を服用しても虚血に陥った脳細胞は再生されないのです。これは急性心筋梗塞の根本治療が経皮的冠動脈形成術（percutaneous coronary intervention：PCI）であり，いくらバイアスピリン®をかみ砕いて服用しても虚血心筋が突然再生されることはないのと似ています。抗血小板薬の役割はステントの再狭窄予防です。脳梗塞も t-PA治療（±血管内治療）が根本治療である一方，そのほかの投薬はあくまで再発予防であり，バイアスピリン®が麻痺した右腕を突然動かすわけではありません。
　当たり前ですが，処方薬が根本治療なのか，予防治療なのかを知ることは大変重要です。

どの程度予防できるのか

　脳梗塞やTIAは無治療では1週間で10％，1カ月で15％，3カ月で18％も再発するとされますが，バイアスピリン®内服により50％も再発率が減ります[1]。また，心原性塞栓においてワルファリンは23％の脳卒中再発率を9％まで低下させるとされており[1]，絶大な予防効果があります。これを聞けば内科医は処方しないわけにはいきません。
　問題は，誰に投薬するかです。アウトカムは予防治療のため，今後脳梗塞のリスクが高い人に飲ませます。治療には出血のリスクがあり，コストもかかるため，適応を選ぶ必要があるのです。
　誰に投薬治療するかの再発リスク評価は，心原性（心房細動あり）と非心原性で異なるため，まずは心房細動の有無を評価します。ついで，心房細動がある場合の脳梗塞の発症リスク評価をみていきます。

誰を予防するか―心原性の場合

心房細動がある患者さんの予防について，症例を通じて適応を考えてみます。

> **Q1** 次の患者さんの脳梗塞発症リスクと治療適応は？
>
> - 70歳女性
> - 検診で心房細動が見つかり受診
> - 脳梗塞やTIAのエピソードはなし
> - 高血圧，糖尿病，脂質異常症，心不全はないが，昨年の脳ドックで動脈硬化あり

Gageらは心房細動患者の脳梗塞発症におけるリスク評価としてCHADS$_2$スコアを報告[2]しており，実際に使っている読者も多いと思います（表1）[2]。全部で5項目それぞれの頭文字を取ってCHADS$_2$（チャッズ）と呼ばれます。各項目1点ですが，stroke or TIAだけは2点なので最後に数字の「2」がつきます。

このスコアで1点以上の場合はリスクが中程度以上で将来脳梗塞となるリスクが高いため，治療適応となります（表2）[2]。

表1 CHADS$_2$スコア

C HF（心不全）	1点
H ypertension（高血圧）	1点
A ge ≧75（75歳以上）	1点
D iabetes（糖尿病）	1点
S troke or TIA（脳梗塞やTIAの既往）	2点

（文献2より引用）

表2 点数と脳梗塞の年間発症率

CHADS$_2$スコア	脳梗塞の年間発症率（95% CI）
0	1.9（1.2〜3.0）
1	2.8（2.0〜3.8）
2	4.0（3.1〜5.1）
3	5.9（4.6〜7.3）
4	8.5（6.3〜11.1）
5	12.5（8.2〜17.5）
6	18.2（10.5〜27.4）

（1〜6：予防投与の適応）

（文献2より引用）

今回の症例でスコアリングするとCHADS$_2$スコアは0点で治療適応がないことになりますが，はたして問題ないのでしょうか？

CHADS₂ 0点はさらにスコアリングする

　Zimetbaumらは心房細動の20%がCHADS₂スコアで0点となると報告しており，この患者層の多さが気になります[3]。low riskで発症率が低いとはいえ，全体の20%であれば絶対数が多いため，数%の発症でもそれなりの患者数になってしまいます。そこで，CammらはCHADS₂スコアをさらに詳細にしたCHA₂DS₂-VAScスコア（チャッズダス ヴァスク）を報告しました[4]。従来のCHADS₂に，性別と血管評価（VAScular）が加わります。また，年齢は65〜74歳で1点，75歳以上で2点となります（表3）[2)4)]。CHA₂DS₂-VAScはCHADS₂がlow risk（0点）の場合の再評価で使います。CHADS₂が0点でもCHA₂DS₂-VAScが2点以上の場合は再発が2.2%でリスクが高く，治療適応です（表4）[2)4)]。

　そこで今回の問題1の症例（CHADS₂：0点）をCHA₂DS₂-VAScでスコアリングしてみましょう（2点以上で予防投与の適応）。年齢で1点，性別で1点，血管病変で1点が加わり3点となり，2点以上なので治療適応となります。

　CHA₂DS₂-VAScは血管評価がありひと手間ですが，欧州心臓病学会でもCHADS₂で0点のときには補足的に利用することを推奨しています[4]。

表3　CHADS₂スコアとCHA₂DS₂-VAScスコアの比較

CHADS₂スコア	
C HF（心不全）	1点
H ypertension（高血圧）	1点
A ge ≧ 75（75歳以上）	1点
D iabetes（糖尿病）	1点
S troke or TIA（脳梗塞やTIAの既往）	2点

（文献2より引用）

CHA₂DS₂-VAScスコア	
C HF（心不全）	1点
H ypertension（高血圧）	1点
A ge ≧ 75（75歳以上）	2点
D iabetes（糖尿病）	1点
S troke or TIA（脳梗塞やTIAの既往）	2点
V ascular disease（血管病変）	1点
A ge 65〜74（65〜74歳）	1点
S ex category（女性）	1点

（文献4より引用）

解答

CHADS₂ 0点であるが，CHA₂DS₂-VAScで3点のため，脳梗塞（心原性）のリスクがあり，予防投与の適応となる。

表4 CHADS$_2$スコアとCHA$_2$DS$_2$-VAScスコアの脳梗塞再発率

> CHADS$_2$で0点なら
> CHA$_2$DS$_2$-VAScも確認

CHADS$_2$スコア	脳梗塞の年間発症率 (95% CI)
0	1.9 (1.2〜3.0)
1	2.8 (2.0〜3.8)
2	4.0 (3.1〜5.1)
3	5.9 (4.6〜7.3)
4	8.5 (6.3〜11.1)
5	12.5 (8.2〜17.5)
6	18.2 (10.5〜27.4)

1点以上は予防投与の適応

（文献2より引用）

CHA$_2$DS$_2$-VAScスコア	脳梗塞の年間発症率
0	0%
1	1.3%
2	2.2%
3	3.2%
4	4.0%
5	6.7%
6	9.8%
7	9.6%
8	6.7%
9	15.2%

2点以上なら予防投与の適応

（文献4より引用）

あなたは心房細動の管理を担当しますか？

　抗凝固治療は出血のリスクもあり，両刃の剣です．リスク評価としてはATRIA bleeding risk score, HAS-BLED score for major bleeding risk, HEMORR2HAGES score for major bleeding riskなどがありますが，「専門医でないのに，そこまで手堅くやるのはちょっと……」と消極的な声も聞かれます．抗凝固薬もワルファリンだけでなく直接経口抗凝固薬（DOACs）（☞Part 5-④参照）など複数の薬があり，その使いわけも悩ましいです．さらに心房細動は根本治療としてカテーテルアブレーションもあり，ここまでくると循環器内科医に任せたくなる気持ちもわからないでもありません．

　しかし，心房細動における抗凝固薬は脳梗塞の予防投与であり，心臓の治療ではありません．循環器医としては，アブレーションが終われば（または適応がなければ）これらの内服は診療所やクリニックで行ってほしいというのがホンネで，「高血圧，脂質異常症，糖尿病と同じで抗凝固もできるでしょ」という心の声が聞こえてきそうです．

　誰が心房細動の予防治療をするかは，その地域の専門医数や病院数から，読者の所属する病院や読者自身の立ち位置も関係します．今は処方していても転勤で処方しなくなる，逆に今は処方していなくても異動後は処方するといったことが起きうるのです．

TIAの予防 ― 非心原性塞栓の場合

次に，非心原性塞栓の予防について確認しましょう．非心原性における心原性との違いは，"発症した人だけが予防治療となる"点です．つまり非心原性の場合，発症前に将来脳梗塞やTIAになるリスク評価については十分なエビデンスがなく，介入できないのです(表5)．使用する抗血小板薬も副作用があるので全員には処方できません．実際には脳梗塞やTIAを一度でも発症すれば抗血小板薬を処方しますが，未発症の場合は投薬しません．

表5 脳梗塞・TIAにおける心原性と非心原性での予防治療介入のタイミング

	発症前	発症後
心原性	$CHADS_2$などでリスク評価	すべて治療対象*
非心原性（TIA）	リスク評価できない	すべて治療対象
非心原性（脳梗塞）	リスク評価できない	すべて治療対象

＊：発症後は$CHADS_2$でstroke or TIAが加点され2点以上のため，治療対象となる

非心原性の場合は発症前に介入できない

TIA患者のリスク評価は？

それでは，次の問題を考えてみましょう．

> **Q2 次の患者さんの再発リスクは？**
>
> - 50歳男性
> - PM 6:00に突然の構音障害があり，脳梗塞を心配して時間外外来を受診した．待合室で症状は改善し，PM 6:45の診察開始時に神経所見はまったくなかった．
> - 既往に高血圧があるが，糖尿病はない．3日前に同様の症状があったが，15分ほどで改善したため経過観察していた
> - 頸動脈に動脈硬化による狭窄所見があり，MRIでは拡散強調画像（DWI）で右内包後脚にラクナ梗塞が見つかった
>   A：低い　B：中等度　C：高い

TIA発症後の再発のリスク評価としては，RothwellらがABCDスコアを報告しました[5]．アルファベットの頭文字は年齢(Age)，高血圧(Blood pressure)，臨床症状(Clinical features)，持続時間(Duration)を意味しています．また，Johnstonらが糖尿病(Diabetes mellitus)を加えた$ABCD_2$スコア（Dが2つになりD_2）を報告しました[6] (表6)．今回の症例を$ABCD_2$スコアで評価してみると，高血圧：1点，臨床症状：1点，

持続時間：1点で合計3点で，再発は0.6％と低リスク群となります（表7）。低リスクであれば，入院ではなく外来フォローも選択肢に挙がりますが，はたしてよいのでしょうか？

表6　$ABCD_2$スコア，$ABCD_3$スコア，$ABCD_3$-Iスコアの比較

		$ABCD_2$	$ABCD_3$	$ABCD_3$-I
A	年齢≧60歳	1点	1点	1点
B	血圧	1点	1点	1点
C	臨床症状（構音障害のみ）	1点	1点	1点
	臨床症状（片麻痺）	1点	1点	1点
D	糖尿病	1点	1点	1点
D	持続時間（10〜59分）	1点	1点	1点
	持続時間（60分以上）	2点	2点	2点
D	再発性TIA（7日以内のTIA）		2点	2点
I	画像所見　同側内頸動脈の50％以上狭窄：2点			2点
	画像所見　DWIの急性期病変：2点			2点

（文献6, 7をもとに作成）

表7　スコアおよび7日以内の再発率

リスク	$ABCD_2$	$ABCD_3$	$ABCD_3$-I
低い	0〜3点（0.6％）	0〜3点（0％）	0〜3点（0％）
中間	4〜5点（2.5％）	4〜5点（1％）	4〜7点（0.8％）
高い	6〜7点（4.3％）	6〜9点（3.4％）	8〜13点（4.1％）

$ABCD_2$から$ABCD_3$，$ABCD_3$-Iへ

　過去には臨床所見のみで診断していたTIAですが，神経症状がなくてもMRIを撮ると異常が見つかる症例が増えてきました。実際にTIAの1/3は24時間以内のDWIで陽性所見が出現するとされ[1]，可能な範囲で$ABCD_3$-Iまでスコアリングすべきでしょう[1]。「同側内頸動脈の狭窄が50％以上」の評価は，CTAでもエコーでもOKです[8]。

　CTAを非専門医が評価することは難しいですが，超音波技師にプローブを当ててもらえる時間帯であれば，非脳卒中医でもABCD3-Iの利用が可能です。あるいは脳卒中医が自らCTAを評価する場合もあり，どちらを好んで利用するか事前に知っておくとよいでしょう。

カットオフ値はもっと下げるべきか

　ABCD$_2$スコアの追試が実施され，Ongらは3点でも7日以内の再発が10.2％あり，従来より高く，そのためカットオフ値は4点から3点にすべきと報告しています[9]。さらにPerryらはスコア2点でも7日以内の再発が14.7％と報告しており[10]，カットオフ値は2点にすべきとしています。実際に計算上はABCD$_2$スコアが2点（low risk）でも，ABCD$_3$-Iスコアでは最高8点（high risk）の可能性があります。

　画像がどうしても撮れない場合は，ABCD$_2$スコアが2点以上ならオーバートリアージで経過観察入院としてもよいかもしれません。

> **解答**
>
> ABCD$_2$スコアは3点（低リスク）であるが，より精度の高いABCD$_3$-Iスコアで9点（高リスク）であり，入院も視野に入れ脳卒中医へコンサルトする

スコアの本当の意義は？

　ABCD$_2$スコアもABCD$_3$-Iスコアも，そのリスク評価の利用目的が"TIAの入院判断"だとすれば，その最終決定は主治医の仕事になります。脳卒中に慣れた医師であればABCD$_3$-Iよりさらに細かい評価や経験による判断をしているかもしれません。一方で非専門医ができることは，誰もが実施可能なスコアリングで"客観的な数字"を示すことです。コンサルトの際に専門医と非専門医の共通言語を準備することが，これらスコアの最大の利用価値なのかもしれません。

　え？　予防治療で何を処方すればいいかって？　それは次項（☞Part 5-4参照）で詳しく解説します！

> **脳梗塞の治療対象のポイント**
> ☑ 心原性（心房細動あり）は発症前予防，非心原性は発症後予防
> ☑ 心房細動はCHADS$_2$スコアリスク評価で1点以上なら予防治療の適応
> ☑ CHADS$_2$が0点でもCHA$_2$DS$_2$-VAScリスク評価で2点以上なら予防治療の適応
> ☑ TIAはすべて予防治療の適応，入院はリスク評価して専門医と相談
> ☑ ABCD$_3$-Iスコアで8点以上，ABCD$_2$スコアで2点以上は再発リスクが高い

文 献

1) Hankey GJ: Stroke. Lancet. 2017; 389(10069): 641-54.
2) Gage BF, et al: Validation of clinical classification schemes for predicting stroke: results from the National Registry of Atrial Fibrillation. JAMA. 2001; 285: 2864-70.
3) Zimetbaum PJ, et al: Are atrial fibrillation patients receiving warfarin in accordance with stroke risk? Am J Med. 2010; 123(5): 446-53.
4) Camm AJ, et al: Guidelines for the management of atrial fibrillation: the task force for the management of atrial fibrillation of the European Society of Cardiology (ESC). Eur Heart J. 2010; 31(19): 2369-429.
5) Rothwell PM, et al: A simple score (ABCD) to identify individuals at high early risk of stroke after transient ischaemic attack. Lancet. 2005; 366(9479): 29-36.
6) Johnston SC, et al: Validation and refinement of scores to predict very early stroke risk after transient ischaemic attack. Lancet. 2007; 369(9558): 283-92.
7) Merwick A, et al: Addition of brain and carotid imaging to the $ABCD_2$ score to identify patients at early risk of stroke after transient ischaemic attack: a multicentre observational study. Lancet Neurol. 2010; 9(11): 1060-9.
8) Yu Q, et al: TIA patients with higher $ABCD_3$-I scores are prone to a higher incidence of intracranial stenosis, unstable carotid plaques and multiple-vessel involvement. Funct Neurol. 2018; 33(4): 217-24.
9) Ong ME, et al: Validating the ABCD (2) Score for predicting stroke risk after transient ischemic attack in the ED. Am J Emerg Med. 2010; 28(1): 44-8.
10) Perry JJ, et al: Prospective validation of the ABCD2 score for patients in the emergency department with transient ischemic attack. CMAJ. 2011; 183(10): 1137-45.

Part 5 ERから専門医へつなぐ脳卒中の治療　ここまでできれば免許皆伝

4 脳梗塞の抗凝固・抗血小板薬治療
――これで非専門医でも脳梗塞処方ができる

　前項では脳梗塞の治療適応について学びましたが，本項では脳梗塞の初診時投薬治療について学びます。どの薬をどれくらい使うか，主治医になったつもりで処方していきましょう。本項でいよいよ最終項，この治療をマスターすれば脳卒中の診断から治療まで完結できますので，let's try！　では，今回もクイズを解きながら学習していきます。

Q1 次の患者さんの治療について答えて下さい。

- 70歳男性
- 一過性脳虚血発作（transient ischemic attack：TIA）と診断，$ABCD_2$スコアは6点とハイリスクであった
- TIAの治療として内服処方はどうすべきか？（基礎疾患はすべてコントロール済みとする）

第一選択は？

　TIAの治療に関しては抗血小板薬のアスピリンがファーストチョイスとなります[1)2)]。クロピドグレルも選択肢として挙がりますが，どちらかを選ぶのであればエビデンスのあるアスピリンに軍配が上がります。

　ところで心筋梗塞では，dual antiplatelet therapy（DAPT：ダプト）と呼ばれる抗血小板薬の2剤投与（アスピリン＋クロピドグレル）が用いられますが，脳梗塞でのDAPTの効果はどうなのでしょうか？

　Wangらは軽症脳梗塞と，重症TIA患者に対してアスピリン単独投与とDAPT（アスピリン＋クロピドグレル）の2群で投与期間90日の脳卒中発生率を比較しました[3)]。アスピリン単剤の11.7％に対しDAPTでは8.2％と発生率が下がり，出血リスクは両群で差がなかったとしています。一方で，同研究の追試であるPOINT試験[4)*]ではDAPTでの予防効果が高かったものの，出血リスクも上がるとされました。

　わが国のガイドラインでもアスピリン単剤が第一選択，DAPT（アスピリン＋クロピドグレル）は急性期限定で第二選択としており[1)]，クイズの答えは単剤でなく2剤投与（DAPT）も一応は正解です。どちらを選択するかは，専門医でも意見のわかれるところです。再発

のTIAで既にバイアスピリン®を服用していればDAPTを継続するなど症例ごとに選択する専門医も多く，迷った場合，非脳卒中医はコンサルトし確認してもよいでしょう。

> ＊：追試のPOINT試験：CHANCEと同様に急性期のDAPTがイベントを抑制した点は，非心原性脳梗塞および高リスクTIAに対するDAPTの推奨度を強固なものとしました。一方で，90日の併用で重篤な出血合併症が有意に増加したことから，7日以内ないし30日以内など，より早期の単剤投与への切り替えを考慮することが望まれます。ただし，本試験では頭蓋内脳動脈の狭窄・閉塞の評価がなく，病態に応じた配慮も必要で，今後の課題となっています

なぜ治療するかを考える

前項（☞ Part 5-③参照）でも述べましたが，TIAや脳梗塞の急性期投薬治療における最大の目標は再発予防であり，神経症状の改善ではありません。華やかさに欠ける再発予防ですが，脳梗塞やTIAは無治療だと1週間で10％，1カ月で15％も再発します。しかし投薬により50％も再発率が減ると聞けば処方しないわけにはいきません[5]。

なお，非心原性のTIAの急性期以降（慢性）の治療は，慢性脳梗塞治療に準じます。具体的には抗血小板薬の1剤投与（バイアスピリン® 100mg 1錠 分1 など）となります。慢性期のDAPTは，予防効果は単剤と同様なのに出血のリスクが高く，一般的には単剤で十分です。

また心原性のTIAの急性期・慢性期治療は抗凝固薬となります（☞ 167頁参照）。

解答

TIA＊¹の急性期＊²処方例

・アスピリン（バイアスピリン®）　100mg　2～3錠　分1

または

・アスピリン（バイアスピリン®）　100mg　1錠　分1
　＋クロピドグレル（プラビックス®）75mg　1錠　分1

＊¹ 心原性のTIAは抗血小板薬でなく抗凝固薬を処方する
＊² 急性期以降は，アスピリン（バイアスピリン®）100mg 1錠 分1

Q2 次の患者さんの入院時の点滴を処方して下さい。

- 70歳男性
- 発症から24時間経過して来院
- 右上肢麻痺と構音障害あり
- 心房細動はないと判断された。採血結果でCrは1.6mg/dL

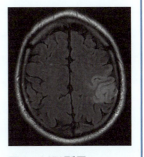

図1　MRI所見

日本独自の脳梗塞点滴治療をマスターせよ

　非心原性のTIAではアスピリンや，加えてクロピドグレルのDAPTを内服治療しました。非心原性の急性期脳梗塞でも同様の抗血小板療法を開始します。早期に内服するほど治療効果が高いため，診断しだいで速やかな投与が望ましいです。また心原性の急性期脳梗塞治療は抗凝固薬の内服となります（☞168頁表2参照）。

　これら内服薬に加え，国内には急性期脳梗塞の点滴治療薬として，①アルガトロバン，②オザグレルNa，③ヘパリンの3つがあります。このうち①②は非心原性脳梗塞で，③は心原性脳梗塞で適応となります。

アルガトロバン，オザグレルNaの使いわけは？

　わが国のガイドラインには以下のように記載があります。

● 「脳卒中治療ガイドライン2015」[1]における記載

アルガトロバン（抗凝固薬）
　発症48時間以内で病変最大径が1.5cmを超すような脳梗塞（心原性脳塞栓を除く）には，アルガトロバンが勧められる（グレードB）

オザグレルNa（抗血小板薬）
　オザグレルNa 160mg/日の点滴投与は，急性期（発症5日以内に開始）の脳血栓症（心原性脳塞栓を除く脳梗塞）患者の治療として勧められる（グレードB）

　発症2日以内で1.5cm以上あればアルガトロバンの適応がありますが，そこまで大きくない場合や3日以上経過している場合は適応外となります。オザグレルNaは梗塞の大きさによらず，発症から5日以内であれば使用可能であり，適応範囲がより広くなります。

　これら2剤の効果について国内のガイドラインはグレードB（行うよう勧められる）です。ここで注意が必要なのはグレードBがランダム化比較試験1つでも条件を満たしてしまうことです[1]。実際にこれら2剤に関する臨床研究は国内で小規模な研究がわずかにあるだけです。そのためエビデンスが十分でないとして，使用しない専門医もいます。よりストロングエビデンスであるアスピリン経口投与（グレードA）を選択することもあります。

　ちなみに米国のガイドラインでは，アルガトロバンは「十分に確立していない。さらなる臨床研究が必要」と記され，オザグレルNaについては言及されていません[2]。

　日米での温度差は，これら2剤が日本で開発され使われ続けているという背景がありま

す．代用となる薬もないため国内では使用頻度が高いのが現状です．

　また，これら2つの薬において，実際にどちらがよいかを示す大規模な研究はありません．そのため非専門医としては，国内のガイドラインの額面通りに「大きさ」と「経過時間」以外に，上記2つの点滴を使いわける根拠はありません．ストロングエビデンスがないなら"使いわけにこだわりすぎない"というのが筆者の意見です．一方で，こだわりを持って使いわける専門医の先生がコンサルトの対象であれば，その嗜好を事前に確認しておくとよいでしょう．

もう1つの治療薬

　エダラボン（ラジカット®）はフリーラジカルスカベンジャーと呼ばれる，近年，日本で開発使用が始まった薬です．脳梗塞では，虚血によりフリーラジカルが細胞を構成している脂質を過酸化することで脳機能障害が起こるとされます．エダラボンはこのフリーラジカルを取り除くことで脳梗塞の増悪を減らすと考えられています．ちなみに米国のガイドラインは，2013では記載がありましたが，2018では言及されていません[2]．

　抗凝固薬や抗血小板薬とはまったく作用機序が違い，心原性・非心原性ともに適応となります．留意点としては腎機能を必ず確認してから使用することです．Cr＞1.6またはeGFR＜30mL/minなど腎機能障害があるときは使用しません．日本国内ではエダラボンを使用した場合にDPC加算が高くなるため医療費を意識する必要もあります．

　最後に，これらの薬の処方例を次頁に記載します．TIAや脳梗塞の内服の抗血小板薬とは異なり，これらの点滴治療はエビデンスに乏しく，使用に関しては日本独特の文化もありますので，主治医と相談して使用するようにしましょう．

---解答---

●処方例（脳梗塞治療例）

【内服治療例】

- アスピリン（バイアスピリン®）　100mg　2〜3錠　分1

または

- アスピリン（バイアスピリン®）　100mg　1錠　分1
  ＋ クロピドグレル（プラビックス®）　75mg　1錠　分1

【点滴治療例】

発症時間と大きさから，オザグレルNaとアルガトロバンのどちらかを選択

- オザグレルNa（オザグレルNa注射用）使用時

〈入院時から2週間まで投与可能〉

　オザグレルNa注射用40mg　2バイアルを生食100mLに溶解し，朝・夕に50mL/hrで点滴

- アルガトロバン（ノバスタン®）使用時

〈入院日から2日間〉

　ノバスタン®10mg　6管を生食500mLに溶解し，20mL/hrで持続点滴

〈入院日から3〜7日目〉

　ノバスタン®10mg　1管を生食100mLに溶解し，朝・夕2回に1回3時間かけて点滴

　上記に加え腎機能に問題がなければ*，エダラボン使用も考慮
　*Cr＜1.6mg/dL, eGFR＞30mL/minの場合

- エダラボン（ラジカット®）追加時

〈入院日から2週間まで使用可能〉

　ラジカット®点滴静注バッグ　30mgを朝・夕2回に30分かけて点滴

では次に，心原性脳塞栓症の「入院時処方」を確認していきましょう。

Q3 図1の入院時の脳梗塞点滴治療薬の処方を答えて下さい。

- 70歳男性
- 発症から24時間経過して来院
- 右上肢麻痺と構音障害あり
- 来院時の心電図で心房細動が見つかった。採血結果でCrは0.8mg/dL

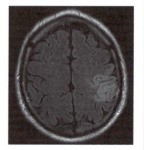

図1　MRI所見（再掲）

ヘパリンは日米で対立意見？

心原性の場合は点滴治療薬として利用できる薬はヘパリン1剤のみとなります。ヘパリンについて日米のガイドラインを比べてみましょう。

● 日米のガイドラインにおける比較

日本（2015年）
- 48時間以内の脳梗塞にヘパリンを使用することを考慮してもよい（グレードC1）

AHA（2018年）[2]
- 脳梗塞患者に対して早期の再発防止を目的とした緊急の抗凝固療法は，脳卒中，神経学的悪化の停止，または，その後の転帰の改善として推奨されない（Ⅲ No benefit エビデンスレベルA）

ヘパリンによる治療は脳梗塞でのストロングエビデンスがないのが現状です。それでも心原性脳梗塞の点滴治療薬がヘパリンしかなく，国内では長い間使用されてきた経緯から，心原性脳梗塞の急性期では使用することもあります。

解答

以下の処方とする

● 脳梗塞（心原性）点滴治療の処方例

　　ヘパリン12,000単位を生食250mLに混注　20mL/hr　持続点滴

エダラボン（ラジカット®）追加時

〈入院日から2週間まで使用可能〉

　　ラジカット®点滴静注バッグ　30mgを朝・夕2回に30分かけて点滴

結局処方する？

「脳梗塞の点滴治療薬にストロングエビデンスなし」というのは知っておくべきです。エビデンスが弱いから何も使わないという米国のスタイルに対し，なんとか患者さんをよくするため，エビデンスが弱く多少高価な薬であっても点滴投与してみようという国内のスタイルも，考えようによっては"あり"かもしれません。またエビデンス以外の留意点として，エダラボンはDPC加算がつくため病院収益をもたらす一方で，医療保険を圧迫する可能性があることも記載しておきます。

次のうち正しいのはどれか？

- 60歳男性
- 左麻痺症状で来院し，頭部CTで脳出血を認め軽度だが脳ヘルニア所見があると判断した

A：ワルファリン内服時はINR＜1.50になるようにする
B：ワルファリン内服時は拮抗薬としてケイセントラ®を使用し，その後，ケイツー®Nを使用する
C：プラザキサ®内服中では国内に拮抗薬はないため，FFPの使用を考慮してもよい
D：リクシアナ®内服中では国内に拮抗薬はないため，FFPの使用を考慮してもよい

非専門医に求められる抗凝固薬の知識

　心房細動の抗凝固薬の使いわけは奥深いです。国内でも心房細動だけの医学書が多数出版されており，詳しい使いわけについてはそちらの通読をお勧めします。一方で，本書は非専門医のための医学書であることから，心房細動に対する抗凝固薬について以下のようにポイントをまとめてみました。

> ●心房細動の抗凝固薬について，非専門医に求められること
> ①名前を見てDOACsとわかる。〈必須！！！〉
> ②リバースができる。〈必須！〉
> ③処方の適応を決め，可能なら使いわけて処方ができる。〈できれば……〉

　非専門医であれば処方よりもリバース（中和）の必要性が高くなることを是非意識して下さい。上記の①②は専門にかかわらず要求されますが，"③実際に処方するか"は，読者の皆さんの立ち位置によります。

名前を見てDOACsとわかる

　ワルファリンカリウム（ワーファリン）以外の新しい抗凝固薬はDOACs*（ドアックス）と呼ばれます。DOACsは作用機序の違いからⅩa（テンエー）因子阻害薬と直接トロンビン阻害薬の2つにわかれます。Ⅹaは3種類ありますが，直接トロンビン阻害薬はダビガトラン（プラザキサ®）のみです。図2で作用機序を一度確認しましょう。

*新規の抗凝固薬に関する呼称については，これまでDOAC（direct oral anticoagulant）以外にもNOACs（novel/new oral anticoagulants）とも呼ばれていました。ただ，NOACは"non-VKA oral antagonists"と略語を変換され，これだと"No AntiCoagulation"＝「抗凝固薬でない」という意味にとられてします。そこで国際血栓止血学会から「NOACではなくDOACと呼ぼう」との推奨が出ており[11]，現在はDOACsが主流となっています

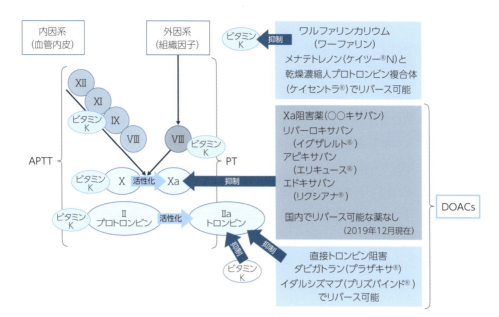

図2 抗凝固薬と凝固カスケード
PT：prothrombin time（プロトロンビン時間），APTT：activated partial thromboplastin time

　1番手のワルファリンカリウムの長所は安価であること，リバースができることの2点です。ワルファリンカリウム1mgが約10円/日なのに対し，DOACsはいずれも約500〜750円/日と，毎日服用すればかなりの金額になります。また，ワルファリンカリウムにはケイツー®N，ケイセントラ®という拮抗薬があり，出血時のリカバリーも可能です。

　短所はモニタリングが必要なことで，採血でPT-INRの測定が必要ですが，一方で腎機能が悪くてもモニタリングしていれば処方調整できるといった処方戦略も取れます。

　次に，ダビガトランはDOACsで唯一作用機序が異なり，特別扱いです。リバースのイダルシズマブ（プリズバインド®）は大変高価です。似たもの同士のDOACsでもダビガトランは腎機能に問題なければ第一選択とすることが多いです。

　Ⅹa阻害薬はリバーロキサバン（イグザレルト®），アピキサバン（エリキュース®），エドキサバン（リクシアナ®）の3つがあります。エドキサバンは1回投与であることと，出血リスクが抗凝固薬の中では相対的に低いとされるので，出血性潰瘍の既往では選択を考慮します。なお，Ⅹa阻害薬の一般名は"○○xaban"で，綴りの真ん中に"xa"が入っており，"Ⅹa"阻害薬の目印となります。

　Ⅹa阻害薬のリバースは将来的に開発販売予定があるようですが，2019年12月時点で国内では利用できません。そのため出血時にはFFPを輸注することで拮抗を期待しても構いません。なお，FFPは2〜4単位投与すれば効果は十分なことが多いです。

動画はこちら

リバースのタイミングは？

　繰り返しますが，非専門医は抗凝固薬の使いわけよりも，必要時にリバースができることが大切です．一度拮抗してしまうと元の抗凝固作用に戻るのに時間を要しますが，だからといって使用を躊躇していると出血性疾患は階段を転げ落ちるように止血が困難になることがあります．

　適応があれば早めに使いたいというのが本音ですが，問題はそのタイミングです．シンプルに考え，中枢性疾患であれば神経症状があるときや脳ヘルニアを認める場合，それ以外ではバイタルサインが悪化したときは，リバースを開始して下さい．患者さんにファーストタッチする医師はこの場合は，主治医に確認せずリバースしてしまうのも"あり"です．

　また，そのような症状がなければ入院主治医と相談して使用するのがリーズナブルな方法です．

拮抗薬の注意点

　ワルファリンカリウム内服時の拮抗薬の使用には，少し注意が必要です．まずはビタミンK（ケイツー®N）を最初に使用する点に留意して下さい．もう1つの拮抗薬の乾燥濃縮人プロトロンビン複合体（ケイセントラ®）は必ずケイツー®Nの使用後に投与となります．

　また，ケイセントラ®の処方量や投与スピードは計算が必要で，かなり煩雑です．まずPT-INRを測定し，その値と患者体重から決めます．煩雑な計算なので一覧表になっているものを利用することを推奨致します．

　なお，ケイツー®Nは安価ですが，ケイセントラ®とプリズバインド®（ダビガトランの拮抗薬）はいずれも高額であることも覚えておきましょう．

　補足説明：乾燥濃縮人プロトロンビン複合体（ケイセントラ®）の投与量を決めるINRを測定するタイミングに決まりはなく，ビタミンK（ケイツー®）の投与前でも後でもかまいません．

では，クイズの解答をみてみましょう．

解答

A～C：×，D：○

A：×
ワーファリン内服時はINR＜1.50になるようにする
　➡ INR＜1.50　ではなく　INR＜1.35が正解

B：×
ワーファリン内服時は拮抗薬としてケイセントラ®を使用し，その後ケイツー®Nを使用する
　➡ まずケイツー®Nを使用し，それからケイセントラ®を使用する

C：×
プラザキサ®内服中では国内に拮抗薬はないため，FFPの使用を考慮してもよい
　➡ プラザキサ®の拮抗薬としてプリズバインド®がある

D：○
リクシアナ®内服中では国内に拮抗薬はないため，FFPの使用を考慮してもよい
　➡ リクシアナ®をはじめとするXa阻害薬の拮抗薬は国内にはない．代用としてFFP使用を考慮してもよく，これにより抗凝固薬のリバースを期待する

よって，正解は「D」です．

本項では脳出血時の抗凝固薬の拮抗について解説しました．なお，抗血小板薬（バイアスピリン®，プラビックス®など）はエビデンスのある拮抗治療がないため，根本的な止血治療などを進めることになります．

使いわけはどうする？

表1に心房細動における抗凝固薬をまとめました．これら5つの薬の使いわけは慣れた専門医でもかなり難しいです．腎機能や拮抗薬など薬理学的な問題だけでなく，投与回数や費用など判断に影響する事項が複数あるためです．使いわけが難しいからこそ，非専門医のためのまとめを作りましたので，参考にして下さい（表2）[6)12)]．

表1 心房細動における内服抗凝固製剤の内訳

		一般名（商品名）	モニター	使用量
ビタミンK拮抗薬		ワルファリンカリウム（ワーファリン）	PT-INR	PT-INRを2.0〜3.0に調節（70歳以上またはTIA患者ではPT-INRを1.6〜2.6に調節）
DOACs	トロンビン阻害薬	ダビガトラン（プラザキサ®）	不要 ・APTT延長あり	150mg×2/day (eGFR＞50) 110mg×2/day (eGFR 49〜30, 70歳以上)
DOACs	Xa因子阻害薬	リバーロキサバン（イグザレルト®）	不要 ・PT延長あり	15mg/day (eGFR≧50) 10mg/day (eGFR 49〜30)
DOACs	Xa因子阻害薬	アピキサバン（エリキュース®）	不要	5mg×2day 2.5mg×2day[*1]
DOACs	Xa因子阻害薬	エドキサバン（リクシアナ®）	不要	30mg/day[*2] （15mgは整形外科手術後のDVT予防）

[*1] 80歳以上・体重60kg以下・血清クレアチニン1.5mg/dL以上の3つのうち、2つ以上に該当する患者は、1回2.5mg、1日2回経口投与する（出血のリスクのため）
[*2] 体重60kg以上の場合は60mgとする。なお、腎機能、併用薬に応じて1日1回30mgに減量する

表2 脳梗塞の治療のまとめ

	非心原性
脳梗塞急性期の点滴加療	・オザグレルNa注射用40mg 2バイアルを生食100mLに溶解し朝・夕に50mL/hrで点滴 または ・アルガトロバン（ノバスタン®）10mg 6管を生食500mLに溶解し20mL/hrで持続点滴 ± ・エダラボン（ラジカット®）30mgを朝・夕2回に30分かけて点滴
脳梗塞または一過性脳虚血発作（TIA）の急性期内服治療	・アスピリン（バイアスピリン®）100mg 2〜3錠 分1 ※脳梗塞では発症48時間以内に開始 または ・アスピリン（バイアスピリン®）100mg 1錠 分1 ＋クロピドグレル（プラビックス®）75mg 1錠 分1
脳梗塞または一過性脳虚血発作（TIA）慢性期の再発予防治療	・アスピリン（バイアスピリン®）100mg 1錠 分1 または ・クロピドグレル（プラビックス®）75mg 1錠 分1

*体重60kg以上の場合は60mgとするが、腎機能、併用薬に応じて1日1回30mgに減量

値段（括弧内：1ヵ月当たり）	拮抗薬
0.5mg・1mg錠：9.60円 （870円）	ビタミンK（ケイツー®N） 1回1A使用（80円/A） 乾燥濃縮人プロトロンビン複合体（ケイセントラ®）：ビタミンK使用後にPT-INRを測定し、その値と患者体重から投与量を決定する
75mgカプセル：136.40円 110mgカプセル：239.30円 （14,400円）	イダルシズマブ（プリズバインド®） 1回2V（5g）使用（約40万円）
10mg錠：383.00円 15mg錠：545.60円 （11,500〜16,350円）	日本未発売 ※FFP2〜4単位を輸注して拮抗を期待してもよい
2.5mg錠：149.00円 5mg錠：272.80円 （9,000〜16,380円）	
15mg錠：294.20円 30mg錠：748.10円 60mg錠：758.10円 （22,500円）	

心原性
• ヘパリン12,000単位を生食250mLに混注 20mL/hrで持続点滴 ± • エダラボン（ラジカット®） 30mgを朝・夕2回に30分かけて点滴
急性期は脳梗塞発症後2週間以内が開始の1つの目安 腎機能問題なし＋脳塞栓症高リスク • ダビガトラン（プラザキサ®）150mg 1錠 分1 高度腎機能低下例 or 機械弁 • ワルファリンカリウム（ワーファリン）INRをみて調整処方 ある程度の腎機能低下例＋高出血リスク • エドキサバン（リクシアナ®）30mg 1錠 分1* （使いわけは文献12より）

（文献6, 12より引用）

おわりに

　非専門医としてどこまでやってよいのか，むしろどこまでやらないといけないのか，理解できたでしょうか。大切なのは，本書の内容をふまえて皆さんの病院の専門医と必ず意見を擦り合わせることです。病院によっては本書よりもっと踏み込んだ治療をリクエストされるかもしれませんし，逆に勇み足と諭される治療行為があるかもしれません。初期治療から専門治療における患者さんの受け渡しはまさにリレーの"バトンパス"にたとえられます。ある程度の距離があるバトンゾーンの手前でバトンを渡すか，踏み込んでバトンゾーンのギリギリで渡すか，スタート合図前にアンカーである専門医に確認して取り決めをしておくことが，レース成功の秘訣なのです。

Column　どうやって発作性心房細動がないと判断するか？

　TIAや脳梗塞の診断がついた場合に来院時心電図が洞性脈でも"発作性"心房細動の可能性は否定できません。心原性（心房細動あり）と非心原性では治療が異なるため鑑別が必要ですが，臨床現場でその判断はどうすればよいのでしょうか？

　まずはMRIで2カ所以上に梗塞巣が散在していれば心原性を強く疑います。問題は1カ所の脳梗塞の場合です。内包後脚など穿通動脈の閉塞は心原性でないことが多いとの報告があり[6]，経験的にもうなずけます。迷うのがMCA領域の広範囲梗塞，このときは心原性塞栓を疑いますが断定はできません。

　Gladstoneは原因不明の脳梗塞に対し24時間の心電図記録では発作性心房細動の検出率が3.2％なのに対し，30日間の心電図記録（埋め込み式心電図を使う）では16.1％も上がったと報告しています[7]。この研究からはかなりの割合で心原性塞栓が隠れているというメッセージが受け取れます。

　MRIや心電図以外では，心エコーやバイオマーカー（BNP）が独立した発作性心房細動の因子として知られています。心エコーで左房径の拡大は心原性を疑いますが，問題はカットオフ値がはっきりしない点です。40mm以上は疑うとする報告がありますが[8]，単独で診断に用いるには十分なエビデンスではありません。BNPも上昇していれば心原性を疑いますがカットオフ値がはっきりしません[9]。

　そこで心エコーやBNPをスコア化した診断法も報告されていますが[10]，ストロングエビデンスではなく，より大規模な前向き研究の追試が待たれます。結局のところ，来院時はMRIと心電図を確認して，可能であれば心エコーとBNPを追加検査し総合判断するのが実情です。コンサルトする手慣れた脳卒中担当医が心原性の是非を判断することは多いのですが，やはり彼らも迷います。非専門医は決定権がなくても判断材料になりそうな情報を徹底的に集めることで，患者さんの治療に貢献できると考えています。

文献

1) 日本脳卒中学会 脳卒中ガイドライン〔追補2019〕委員会, 編: 脳卒中治療ガイドライン2015〔追補2019〕. [http://www.jsts.gr.jp/img/guideline2015_tuiho2019_10.pdf]
2) Powers WJ, et al: 2018 Guidelines for the Early Management of Patients With Acute Ischemic Stroke: A Guideline for Healthcare Professionals From the American Heart Association/American Stroke Association. Stroke. 2018; 49(3): e46-e99.
3) Wang Y, et al: Clopidogrel with aspirin in acute minor stroke or transient ischemic attack. N Engl J Med. 2013; 369(1): 11-9.
4) Johnston SC, et al: Clopidogrel and Aspirin in Acute Ischemic Stroke and High-Risk TIA. N Engl J Med. 2018; 379(3): 215-25.
5) Hankey GJ: Stroke. Lancet. 2017; 389(10069): 641-54.
6) Jickling GC, et al: Prediction of cardioembolic, arterial and lacunar causes of cryptogenic stroke by gene expression and infarct location. Stroke. 2012; 43(8): 2036-41.
7) Gladstone DJ, et al: Atrial fibrillation in patients with cryptogenic stroke. N Engl J Med. 2014; 370(26): 2467-77.
8) Yaghi S, et al: Left atrial enlargement and stroke recurrence: the Northern Manhattan Stroke Study. Stroke. 2015; 46(6): 1488-93.
9) Shibazaki K, et al: Brain natriuretic peptide levels as a predictor for new atrial fibrillation during hospitalization in patients with acute ischemic stroke. Am J Cardiol. 2012; 109(9): 1303-7.
10) Yoshioka K, et al: A score for predicting paroxysmal atrial fibrillation in acute stroke patients: iPAB score. J Stroke Cerebrovasc Dis. 2015; 24(10): 2263-9.
11) Barnes GD, et al: Recommendation on the nomenclature for oral anticoagulants: communication from the SSC of the ISTH. J Thromb Haemost. 2015; 13(6): 1154–6.
12) Barnes GD, et al: Direct oral anticoagulants: unique properties and practical approaches to management. Heart. 2016; 102(20): 1620-6.

索引

■ 数字・欧文 ■

数字

Xa因子阻害薬 164, 168

A

AANガイドライン 61
ABCD$_2$スコア 155
ABCD$_3$-Iスコア 155
ABCD$_3$スコア 155
ACA：anterior cerebral artery 112, 126
——梗塞 113

B

BAD：branch-atheromatous disease 101, 115
Barré徴候 80
BESS：balance error scoring system 59
border zone infarction 126
BPPV：benign paroxysmal positional vertigo 8, 9, 37
  水平半規管の—— 10
  後半規管の—— 13

C

CCR：Canadian C-Spine Rule 67
  ——の感度・特異度 68, 70
CHA$_2$DS$_2$-VAScスコア 152
CHADS$_2$スコア 151
CHCR：Canadian Head CT rule 42, 44
cheiro-oral syndrome 118
choosing wisely 47
CT撮影回数（国別）46

D

DAPT：dual antiplatelet therapy 158
direction changing nystagmus 22
Dix-Hallpike test 15, 25
  ——のエビデンス 16
DOACs：direct oral anticoagulants 153, 164, 165, 168
DWI/FLAIRミスマッチ 74, 77, 132

E

early CT sign 129
Epley法 15
  ——のエビデンス 16

F

FFP 165, 169

H

head impulse test 27
HINTS 28, 33
hyperintense MCA sign 130

L

LOC：loss of consciousness 52, 56, 62

M

MCA：middle cerebral artery 126
  ——dot sign 130
  ——梗塞 113
  ——途絶 131
  ——のナンバリング 114
MDCalc 49

mRS：modified rankin scale 145, 146

N

NEXUS Criteria 51, 67
  ——とCCRの感度・特異度 68, 70
NICE Clinicalガイドライン 42
NIHSS：NIH Stroke Score 75, 76
  意識障害の—— 92
  失語の—— 91
  ——チェックシート 78
  ——の"セブンイレブンルール" 82, 85, 94

P

PCA：posterior cerebral artery 126
PCS：post-concussion syndrome 61
PCSS-GSC：post-concussion symptom scale-graded symptom checklist 59
PECARN：The Pediatric Emergency Care Applied Research Network 50
  ——頸椎外傷ルール 72
  ——頭部外傷ルール 52
permissive hypotension 138
PT-INR 166, 168

R

rCS：rolandic central sulcus 106, 108

S

SAC：standardized assessment of concussion *59*

SIS：second impact syndrome *59*

skew deviation *26*

SOT：sensory organization test *59*

supine roll test *10, 25*

T

tandem gait *33*

TIA：transient ischemic attack *150, 154, 158*
　──の急性期処方 *159*
　──の再発のリスク評価 *154*
　──の入院判断 *156*

t-PA（アルテプラーゼ）*144*
　──のチェックリスト *76, 77*

V

vertical nystagmus *22*

visual threat *88*

W

wake up stroke *74*

watershed infarction *126, 135*

■ **和　文** ■

あ

アスピリン *158, 159, 162, 168*

アタラックス®P *37*

アピキサバン *165, 168*

アルガトロバン *160, 162, 168*

アレキサンダーの法則 *21, 25*

い

イグザレルト® *76, 165, 168*

イダルシズマブ *77, 165, 169*

痛み刺激 *94*

一過性意識障害 *43, 51, 56*

一過性脳虚血発作 *150, 158, 168*

う

運動言語野 *121*

運動失語 *120*

運動失調 *30*

え

エダラボン *161, 162, 168*

エドキサバン *165, 168*

エリキュース® *76, 165, 168*

お

オザグレルナトリウム *160, 162*

嘔吐 *25, 53*

か

画像診断と費用 *70*

回転性めまい *2*

開頭外減圧術の適応 *144*

踵膝試験 *31*

感覚 *90*
　──言語野 *121*
　──失語 *120*
　──と言語の評価 *82*

乾燥濃縮人プロトロンビン複合体 *165, 166, 169*

眼球tiltテスト *28*

眼振 *11, 18*
　垂直性── *23*
　注視方向性── *22*
　方向固定性── *20*
　方向交代性── *11*

顔面運動の評価 *81*

顔面のしびれ *116*

き

拮抗薬（抗凝固薬の）*165, 169*
　──の注意点 *166*

急性期脳梗塞画像の感度 *5*

境界領域型梗塞 *126*

凝固カスケード *165*

く

くも膜下出血の降圧目標 *137*

クプラ結石 *12*

クロピドグレル *159*

け

ケイセントラ® *165, 166, 169*

ケイツー®N *165*

頸椎CT *69*

頸椎X線 *69*

頸椎損傷 *66*

血栓溶解療法 *144*
　──のゴールデンタイム *74*

言語 *90*

こ

高エネルギー外傷 *67*

高齢者の脳梗塞手術 *145*

構音障害 *32, 90*
　──の評価 *82*

抗凝固薬 *76*
　──の使いわけ *165*

後大脳動脈 *126*

後半規管 *13*

骨折 *67*

さ

最終健常確認 *74, 75, 77, 132*

し

視床感覚核のホムンクルス *119*

視床出血 *101, 102*

視野 *88*
　──の評価 *80*

失語 *87*
　──と意識障害の鑑別 *87*
　──評価カード *91*

失神前症状 *2, 9, 18*
消去現象 *83*
　　——と注意障害 *83, 84, 85, 90*
小児の頚椎CT *71*
小脳の栄養動脈 *33*
触覚2点刺激 *85*
心房細動 *153, 164, 166*
　　——における抗凝固薬 *164, 168*
　　発作性—— *163*

す
水平半規管 *10*

せ
セファドール® *37*
線分二等分テスト *84*
前大脳動脈 *112, 126*
前庭障害の原因 *21*
前庭神経炎 *20*

た
ダビガトラン *165, 168*
多発外傷 *138*
大脳皮質運動野 *100, 106*
大脳皮質脳梗塞 *105*
大脳皮質ホムンクルスとMRI *110*

ち
注意障害 *90*
注視 *88*
中心溝 *106, 108*
　　——の見つけ方 *107*
中大脳動脈 *112, 126*
聴覚2点刺激 *85*
直接経口抗凝固薬 ☞ DOACs
直接トロンビン阻害薬 *164*

て
手口感覚症候群 *118*

と
頭部外傷 *40, 50*
　　——CTの長所と短所 *41*
　　——CTルール *43, 44*
　　——CTルールの小児への適用 *51*
　　——の血圧目標 *138*
　　——の手術適応 *142*

な
内包後脚 *100*

に
ニカルジピン *135*
人形の目現象 *93*

の
ノバスタン® *161*
脳梗塞 *144, 150, 154, 168*
　　心原性—— *151*
　　超急性期—— *75*
　　非心原性—— *160, 163, 168*
　　——のMRI *128*
　　——の血圧目標 *134, 135*
　　——の血管内治療の適応 *147*
　　——の再発率 *153*
　　——の神経予後 *146*
　　——の責任血管病変 *112*
　　——の点滴治療 *162, 163*
　　——の部位診断 *112*
脳出血 *102*
　　——の降圧目標 *136*
　　——の手術適応 *141*
脳震盪 *57*
　　スポーツ関連—— *59*
　　遷延性—— *63*
　　——後症候群 *61, 62*
　　——のフォローアップ *59*
脳卒中 *98*
　　——治療ガイドライン *160*
　　——の電話コンサルト *111*

は
バイアスピリン® *150, 159, 168*

ひ
被殻出血 *103*
被曝量 *53*

ふ
フリーラジカル *161*
フレンツェル眼鏡 *18*
プラザキサ® *165, 168*
プラビックス® *159, 168*
プリズバインド® *165, 169*
プリンペラン® *37*
浮動性めまい *2*
分枝粥腫型梗塞 *101*
分水嶺梗塞 *126, 135*

へ
ヘパリン *163*

ほ
ホムンクルス *100*
ホリゾン® *37*
歩行障害 *32*
歩行テスト *32*
放線冠 *122*

ま
麻痺 *100*
　　——のMRI *124*

め
めまい
　　中枢性—— *4*
　　末梢性—— *8*
　　——の鑑別 *2*
　　——の眼振 *22*
　　——の処方 *37*
　　——の入院対応 *36*

――のマネジメント *6*
メイロン® *37*
メナテトレノン *165*
メリスロン® *37*
ゆ
指鼻試験 *31*
指-鼻-指試験 *31*

ら
ラクナ梗塞 *101, 104, 115, 123*
　　――における神経症状 *117*
ラジカット® *161, 162, 168, 169*
り
リクシアナ® *165, 168, 169*
リバーロキサバン *165*

良性発作性頭位めまい症 *9*
わ
ワーファリン *165, 168, 169*
ワルファリンカリウム *76, 150,*
　　165, 168, 169

おわりに

　これで神経救急セミナーの活字開催を終わります。最後まで読んで頂き，ありがとうございました。机上の知識をベッドサイドへ昇華できるかは，これからの皆さんの努力にかかっています。

　心肺蘇生の方法を知っていても，実際の心肺停止患者さんへ対応できるかは別の話。その後どれくらい症例を経験したかに依存します。実践してみることで初めて生きた知識へと変わるのです。または実際の症例で失敗することがないように，シミュレーションで擬似体験することも有用な学習方法です。

　本書の雛形となっている神経救急セミナー"SENCE"では，e-learningで確認した知識を，シミュレーションでとことん体感してもらいます。「知っている」知識から「できる」臨床スキルに変えるのです。読者の皆さんは既に座学受講済みですので，機会があれば是非セミナーを受講して知識から技術に変わる楽しみを体感してみて下さい。

　札幌で始めたセミナー"SENCE"は，2020年に7年目を迎えます。医学の進歩とともに，セミナー自体も質・内容ともに毎年アップデートしております。筆者の地元の札幌開催だけでなく，リクエストを頂き全国のどこかで毎年開催しています。

　読者の皆さんでセミナー開催にご興味のある方がいれば，たとえ火の中，水の中，「出張SENCE」に伺います。演目も「めまい」「脳梗塞」「外傷」「神経救急アップデート」……何でもOKです。ぜひ，ご連絡下さいませ。

2020年1月　札幌東徳洲会病院　救急科
SENCE course director
増井伸高

お問い合わせ先

メールアドレス：rock3051vo@yahoo.co.jp

件名：出張SENCE

著者紹介

増井伸高 Nobutaka Masui

札幌東徳洲会病院
　救急科 部長
　国際医療支援室 室長
　徳洲会研修委員会 副委員長

救急搬送台数年間約10,000台のCrazy ERでも，研修医と笑顔で働くスマイル救急医。笑いと感動あるERで，患者を幸せにできる若手医師を量産中。「みんながHappyな世界を作るには，北海道のERをよりよくすることから」が持論。夢は北の大地のERからHappyを届け，めざすは世界平和!!

〈略歴〉
2004年　札幌東徳洲会病院
2007年　福井大学医学部附属病院 救急部
2008年　福井県立病院 救命救急科
2009年　沖縄県立南部医療センター・こどもセンター 救命救急科
2010年　川崎医科大学附属病院 救急部
2011年　福井大学医学部附属病院 救急部
2011年　OHSU Emergency Medicine Visiting Scientist
　　　　（2011年10月〜2012年1月）
2012年　福井大学医学部附属病院 救急部 助教
2012年　現職（9月〜）

結局現場でどうする？
Dr. 増井の神経救急セミナー

定価（本体4,200円＋税）

2018年　6月14日　第1版
2018年　9月 2日　第1版2刷
2020年　1月29日　第2版
2021年　7月27日　第2版2刷
2023年10月29日　第2版3刷

著　者　増井伸高
発行者　梅澤俊彦
発行所　日本医事新報社　www.jmedj.co.jp
　　　　〒101-8718　東京都千代田区神田駿河台2-9
　　　　電話（販売）03-3292-1555　（編集）03-3292-1557
　　　　振替口座　00100-3-25171
印　刷　ラン印刷社

©Nobutaka Masui 2020 Printed in Japan
ISBN978-4-7849-6244-0　C3047　¥4200E

• 本書の複製権・翻訳権・上映権・譲渡権・公衆送信権（送信可能化権を含む）は
　（株）日本医事新報社が保有します。

JCOPY 〈(社)出版者著作権管理機構 委託出版物〉
本書の無断複写は著作権法上での例外を除き禁じられています。複写される場合は，そのつど事前に，(社)出版者著作権管理機構（電話 03-5244-5088，FAX 03-5244-5089，e-mail:info@jcopy.or.jp）の許諾を得てください。

電子版のご利用方法

巻末袋とじに記載された シリアルナンバー を下記手順にしたがい登録することで、本書の電子版を利用することができます。

1 日本医事新報社Webサイトより会員登録（無料）をお願いいたします。

会員登録の手順は弊社Webサイトの
Web医事新報かんたん登録ガイドを
ご覧ください。
https://www.jmedj.co.jp/files/news/20191001_guide.pdf

（既に会員登録をしている方は**2**にお進みください）

2 ログインして「マイページ」に移動してください。

3 「未登録タイトル（SN登録）」をクリック。

4 該当する書籍名を検索窓に入力し検索。

5 該当書籍名の右横にある「SN登録・確認」ボタンをクリック。

6 袋とじに記載されたシリアルナンバーを入力の上、送信。

7 「閉じる」ボタンをクリック。

8 登録作業が完了し、**4**の検索画面に戻ります。

【該当書籍の閲覧画面への遷移方法】
① 上記画面右上の「マイページに戻る」をクリック
　➡ **3**の画面で「登録済みタイトル（閲覧）」を選択
　➡ 検索画面で書名検索 ➡ 該当書籍右横「閲覧する」
　ボタンをクリック
　または
② 「書籍連動電子版一覧・検索」＊ページに移動して、
　書名検索で該当書籍を検索 ➡ 書影下の
　「電子版を読む」ボタンをクリック
　https://www.jmedj.co.jp/premium/page6606/

＊「電子コンテンツ」Topページの「電子版付きの書籍を購入・利用される方はコチラ」からも遷移できます。